# Tatsachen über Deutschland

# Impressum

**Herausgeber:**
Societäts-Verlag, Frankfurt am Main, in
Zusammenarbeit mit dem Auswärtigen Amt,
Berlin

**Societäts-Verlag**
**Konzeption und redaktionelle Leitung:**
Peter Hintereder
**Projektkoordination:** Andreas Fiebiger
**Redaktion:** Janet Schayan, Dr. Sabine Giehle
**Art Direction und Gestaltung:**
Bruno Boll, Katharina Rudolph
**Produktion:** Jörn Roßberg

**Societäts-Verlag**
Frankenallee 71-81
60327 Frankfurt am Main
Deutschland
Internet: www.fsd.de
E-Mail: tatsachen@fsd.de; facts@fsd.de

**Auswärtiges Amt**
Abteilung Kultur und Kommunikation
Werderscher Markt 1
10117 Berlin, Deutschland
Internet: www.auswaertiges-amt.de
E-Mail: 613-s@auswaertiges-amt.de

**Druck:** Werbedruck GmbH Horst Schreckhase,
Spangenberg, Printed in Germany 2008

**Redaktionsschluss:** Dezember 2007
**ISBN:** 978-3-7973-1087-3

„Tatsachen über Deutschland" erscheint in
folgenden Sprachfassungen:
Arabisch, Chinesisch, Deutsch, Englisch, Farsi,
Französisch, Indonesisch, Italienisch, Japa-
nisch, Litauisch, Polnisch, Portugiesisch, Russisch, Spanisch, Tschechisch, Türkisch und
Ukrainisch

„Tatsachen über Deutschland" ist im Internet
in zahlreichen Sprachfassungen abrufbar:
www.tatsachen-ueber-deutschland.de

# Vorwort

HABEN SIE GEWUSST, dass Deutschland die drittgrößte Wirtschaftsnation der Erde ist? Dass Deutschland weltweit zu den drei Top-Studienstandorten zählt? Oder dass Deutschland als Vorreiter bei Klimaschutz und innovativen Umwelttechnologien gilt? Die „Tatsachen über Deutschland" laden Sie ein, Deutschland kennenzulernen. Sie bieten profundes Basiswissen und Orientierungshilfe – speziell konzipiert für Leserinnen und Leser im Ausland, deren Interesse an den Zeitläuften in Deutschland über das Zufällige der täglichen Nachrichtenflut hinausreicht.

In elf umfangreichen Kapiteln beschäftigen sich renommierte Autorinnen und Autoren mit den wichtigsten politischen, gesellschaftlichen und wirtschaftlichen Tendenzen in Deutschland. In diesen Überblicksbeiträgen gewähren sie ein komplexes Verständnis der deutschen Gesellschaft und zeigen, welche Modelle und Lösungen in einer Zeit der wirtschaftlichen und gesellschaftlichen Veränderungen gegenwärtig diskutiert werden.

Textliche Hervorhebungen und Stichworte, die alle Kapitel durchziehen, verstehen sich als lexikalische Ergänzung und zusätzliche Informationsebene. „Tatsachen kompakt"-Seiten dokumentieren grafisch anspruchsvoll die wichtigsten Fakten und zeitgeschichtlichen Dimensionen des jeweiligen Themas mit einer Vielzahl von Karten, Grafiken und Zeitdokumenten. Querverweise im Text und ein ausführliches Register erleichtern schließlich den systematischen Zugriff auf die Informationen. Die überarbeitete Neuauflage der „Tatsachen über Deutschland" ist eine zeitgemäße Fortentwicklung des seit vielen Jahren bewährten Titels. Ein erweitertes, umfangreiches Online-Angebot ergänzt die Inhalte des gedruckten Werkes um vertiefende und stetig aktualisierte Informationen über Deutschland in zahlreichen Sprachfassungen (www.tatsachen-ueber-deutschland.de).

Die Herausgeber danken allen, die am Zustandekommen der „Tatsachen über Deutschland" mit Ideen, Impulsen und Anregungen konstruktiv beteiligt waren.

# Inhalt

### Tatsachen im Internet

www.tatsachen-über-deutschland.de
Die Website zum Handbuch bietet in 15 Sprachen Basiswissen über Deutschland, dazu Infografiken, Links und zahlreiche Bilder.

Vertiefende Hintergrundinformationen und weiterführende Beiträge finden Sie ebenfalls im Onlineangebot – dies gilt vor allem für die Kapitel Länder, Geschichte und Gegenwart, Bildung, Wissenschaft, Forschung, Gesellschaft und Kultur.

# 1

# Zahlen und Fakten

Deutschland hat viele starke Seiten: Für die Qualität seiner Produkte und das Markenzeichen „Made in Germany" ist das Land berühmt – aber es ist auch ein Land mit Lebensart, abwechslungsreichen Landschaften und weltoffenen Menschen. Immer mehr ausländische Studentinnen und Studenten schätzen das akademische Klima an den deutschen Hochschulen. Internationale Investoren setzen auf das Know-how und die gute Ausbildung der Menschen. Die Kunst- und Kulturszene steckt voller Experimentierfreude und Überraschungen. Das gilt für alle 16 Länder und ganz besonders für die Hauptstadt Berlin, das politische und kreative Zentrum des Landes.

## Bundesrepublik Deutschland

| | |
|---|---|
| **Staat** | Demokratischer parlamentarischer Bundesstaat seit 1949 |
| **Hauptstadt** | Berlin, 3,4 Millionen Einwohner |
| **Staatsflagge** | Drei horizontale Streifen in Schwarz, Rot, Gold |
| **Staatswappen** | Stilisierter Adler |
| **Hymne** | Dritte Strophe von August Heinrich Hoffmann von Fallerslebens „Das Lied der Deutschen" zur Melodie von Joseph Haydns „Kaiserhymne" |
| **Nationalfeiertag** | 3. Oktober, Tag der Deutschen Einheit |
| **Parlament** | Deutscher Bundestag (16. Legislaturperiode: 613 Abgeordnete) |
| **Zeitzone** | MEZ/MESZ |
| **Währung** | Deutschland gehört zur Eurozone, 1 Euro = 100 Cent |
| **Telefonvorwahl** | +49 |
| **Internet-TLD** | .de (eine der zehn häufigsten Top-Level-Domains) |
| **Amtssprache** | Deutsch. Für 100 Millionen Menschen ist Deutsch Muttersprache. Deutsch ist die meistgesprochene Muttersprache in der Europäischen Union |

## Geografie

| | |
|---|---|
| **Lage** | Mitteleuropa |
| **Größe** | 357 021 qkm |
| **Grenzen** | 3757 km |
| **Küste** | 2389 km |
| **Nachbarstaaten** | Deutschland liegt im Herzen Europas und ist von neun Nachbarstaaten umgeben: Frankreich, Schweiz, Österreich, Tschechien, Polen, Dänemark, Niederlande, Belgien, Luxemburg |
| **Höchster Berg** | Zugspitze 2963 m |
| **Längste Flüsse** | Rhein 865 km, Elbe 700 km, Donau 647 km (innerhalb Deutschlands) |

• **Berlin**

Bundesflagge

Bundesadler

**Einigkeit und Recht und Freiheit
für das deutsche Vaterland!
Danach lasst uns alle streben
brüderlich mit Herz und Hand!
Einigkeit und Recht und Freiheit
sind des Glückes Unterpfand.
Blüh im Glanze dieses Glückes,
blühe, deutsches Vaterland!**

Text der deutschen Nationalhymne

Deutschland ist ein Bundesstaat aus 16 Ländern, die jeweils eigenständige, wenn auch eingeschränkte Staatsgewalt besitzen

Tatsachen über Deutschland

| | |
|---|---|
| **Größte Städte** | Berlin 3,4 Millionen Einwohner, Hamburg (1,8 Mio.), München (1,3 Mio.), Köln (1,0 Mio.), Frankfurt am Main (662 000) |
| **Landschaften** | Von der Nord- und Ostsee bis zu den Alpen im Süden gliedert sich Deutschland geografisch in das Norddeutsche Tiefland, die Mittelgebirgsschwelle, das Südwestdeutsche Mittelgebirgsstufenland, das Süddeutsche Alpenvorland und die Bayerischen Alpen |
| **Klima** | Gemäßigte ozeanisch/kontinentale Klimazone mit häufigem Wetterwechsel und vorwiegend westlicher Windrichtung |

## Bevölkerung

| | |
|---|---|
| **Einwohner** | Deutschland ist mit 82,3 Millionen Einwohnern (davon 42,0 Mio. Frauen) das bevölkerungsreichste Land der EU. Etwa 7,3 Millionen Ausländer leben in Deutschland (8,8 Prozent der Gesamtbevölkerung), darunter 1,7 Millionen Türken |
| **Bevölkerungsdichte** | Mit 231 Einwohnern pro Quadratkilometer gehört Deutschland zu den am dichtesten besiedelten Ländern Europas |
| **Geburten** | Durchschnittlich 1,3 Kinder pro Frau |
| **Bevölkerungswachstum** | -0,1 % |
| **Altersstruktur** | 14 % unter 15 Jahre, 20 % über 65 Jahre |
| **Lebenserwartung** | Mit einer durchschnittlichen Lebenserwartung von 77 Jahren für Männer und 82 Jahren für Frauen (2006 Geborene) liegt Deutschland über dem OECD-Durchschnitt |
| **Verstädterungsgrad** | 88 % der Bevölkerung lebt in Städten und Ballungszentren. In Deutschland gibt es 82 Großstädte mit über 100 000 Einwohnern |
| **Religionen** | Knapp 53 Millionen Menschen bekennen sich zum christlichen Glauben (26 Mio. Katholiken, 26 Mio. Protestanten, 900 000 Orthodoxe Christen), 3,3 Mio. sind Muslime, 230 000 Buddhisten, 100 000 Juden, 90 000 Hindus. Das Grundgesetz garantiert Gedanken-, Gewissens- und Bekenntnisfreiheit. Es gibt keine Staatskirche |
| **Zuwanderung** | Seit 2005 regelt ein Zuwanderungsgesetz den Zuzug |

## Politisches System

| | |
|---|---|
| **Gesetzgebung** | Zwei-Kammer-System: Neben dem Deutschen Bundestag ist der Bundesrat aus Delegierten der Landesregierungen zur Wahrung der Länderinteressen an der Gesetzgebung beteiligt |
| **Staatsaufbau** | Deutschland ist ein föderaler Bundesstaat, bestehend aus 16 Ländern jeweils mit Verfassung, Parlament und Regierung. Höchste Staatsgewalt liegt beim Bund. Durch den Bundesrat sind die Länder auf Bundesebene vertreten und an der Gesetzgebung des Bundes beteiligt |
| **Wahlrecht** | Allgemeines, gleiches und geheimes Wahlrecht ab 18 Jahre (bei Kommunalwahlen teilweise ab 16 Jahre), Wahlen zum Bundestag alle 4 Jahre |
| **Bundespräsident** | Prof. Dr. Horst Köhler (CDU) seit 2004 |
| **Bundeskanzlerin** | Dr. Angela Merkel (CDU) seit 2005 |
| **Parteiensystem** | Mehr-Parteien-System, Parteien mit besonderer verfassungsrechtlicher Stellung, staatliche finanzielle Unterstützung, Verbot nur durch Bundesverfassungsgericht möglich |

**Im Bundestag vertretene Parteien** Sozialdemokratische Partei Deutschlands (SPD), Christlich Demokratische Union (CDU), Christlich Soziale Union (CSU), Bündnis 90/Die Grünen (Grüne), Freie Demokratische Partei (FDP), Die Linke

**Rechtssystem** Deutschland ist ein sozialer Rechtsstaat. Es gelten die Grundsätze der Gewaltenteilung und der Gesetzmäßigkeit der Verwaltung. Alle Staatsorgane sind der verfassungsmäßigen Ordnung unterworfen. Das Grundgesetz garantiert jedem einzelnen Bürger die Grund- und Menschenrechte. Das Bundesverfassungsgericht wacht über die Einhaltung des Grundgesetzes. An seine Rechtsprechung sind alle übrigen Staatsorgane gebunden

## Deutschland in der Welt

**Internationale Zusammenarbeit** Deutschland setzt sich gemeinsam mit seinen europäischen und transatlantischen Partnern weltweit für Frieden, Demokratie und Menschenrechte ein. In wichtigen europäischen und anderen internationalen Organisationen ist Deutschland Mitglied

**Europäische Union** Die Bundesrepublik Deutschland ist Gründungsmitglied der Europäischen Union (EU). Deutschland trägt mit rund 22 Milliarden Euro etwa 20 Prozent zum EU-Haushalt bei und ist damit größter Beitragszahler

**Vereinte Nationen** Seit 1973 ist Deutschland Vollmitglied der Staatengemeinschaft der Vereinten Nationen (VN). Deutschland trägt knapp neun Prozent des regulären VN-Haushalts und ist damit drittgrößter Beitragszahler. Deutschland ist VN-Sitzstaat: Seit 1996 trägt Bonn den Titel „VN-Stadt", hier sind 16 Organisationen der VN zu Hause

**Andere Organisationen und Zusammenschlüsse** Deutschland ist Mitglied in dem Verteidigungsbündnis NATO (seit 1955), der Organisation für Wirtschaftliche Zusammenarbeit und Entwicklung (OECD), der Organisation für Sicherheit und Zusammenarbeit in Europa (OSZE), der Weltbank und dem Internationalen Währungsfonds (IWF)

**Auswärtiges Amt** Das Auswärtige Amt mit seiner Zentrale in Berlin und seinem Netz von 228 Auslandsvertretungen repräsentiert Deutschland in der Welt. Derzeit unterhält Deutschland diplomatische Beziehungen zu 191 Staaten

**Auslandseinsätze** Die deutsche Bundeswehr engagiert sich in neun Auslandseinsätzen, darunter friedenserhaltende, humanitäre und Stabilisierungsoperationen, die von den VN mandatiert sind und im Rahmen der NATO und der EU durchgeführt werden. Sie ist einer der größten Truppensteller in internationalen Einsätzen im Rahmen von Krisenverhütung und Konfliktbewältigung

## Wirtschaft

**Wirtschaftliche Leistungsfähigkeit** Deutschland ist die größte Volkswirtschaft in der Europäischen Union und die drittgrößte der Welt. Mit dem höchsten Bruttoinlandsprodukt und der größten Einwohnerzahl in der Europäischen Union ist Deutschland der wichtigste Markt in Europa. Das Bruttoinlandsprodukt liegt bei 2423 Milliarden Euro (2007), das Bruttoinlandsprodukt pro Kopf bei 29 455 Euro

| | |
|---|---|
| **Export** | Deutschland ist Exportweltmeister: Das Warenexportvolumen liegt bei 969 Milliarden Euro (2007). Wichtigste Handelspartner: Frankreich (9,5 %), USA (8,7 %), Großbritannien (7,2 %), Italien (6,6 %) |
| **Struktur** | Neben international agierenden Konzernen bildet der Mittelstand den Kern der deutschen Wirtschaft. Rund 70 % aller Beschäftigten arbeiten in mittelständischen Unternehmen |
| **Wichtige Branchen** | Automobilbau, Maschinenbau, Elektrotechnik, Chemie, Umwelttechnologie, Feinmechanik, Optik, Medizintechnik, Bio- und Gentechnologie, Nanotechnologie, Luft- und Raumfahrt, Logistik |
| **Investitionsstandort** | Deutschland ist ein attraktiver Standort für ausländische Investoren. Die 500 größten Firmen der Welt sind präsent, insgesamt 22 000 ausländische Firmen mit 2,7 Millionen Mitarbeitern. Ausländische Direktinvestitionen: 503 Mrd. US-Dollar (2005) |
| **Infrastruktur** | Deutschland verfügt über eine hoch entwickelte und dynamisch wachsende Infrastruktur. Das Schienennetz umfasst 36 000 km, das Straßennetz 230 000 km. Das Land verfügt über eins der weltweit modernsten Telefon- und Kommunikationsnetze |
| **Messen** | Etwa zwei Drittel aller global führenden Branchenmessen finden in Deutschland statt (ca. 160 internationale Messen) |

## Forschung und Entwicklung

| | |
|---|---|
| **Patentanmeldungen** | Deutschland ist die Nummer eins bei Patentanmeldungen in Europa. Zusammen mit Japan und den USA gehört Deutschland mit 11 188 Triadepatent-Anmeldungen weltweit zu den drei innovativsten Ländern |
| **Einrichtungen der Spitzenforschung** | Seit 1948 gingen 17 Nobelpreise an Wissenschaftler der Max-Planck-Gesellschaft. Außerdem international renommiert: die Fraunhofer-Gesellschaft in der angewandten Forschung, die Leibniz-Gemeinschaft sowie die Helmholtz-Gemeinschaft mit 15 international führenden Großforschungseinrichtungen |

## Kommunikation

| | |
|---|---|
| **Meinungsfreiheit** | Das Grundgesetz garantiert die Presse- und Meinungsfreiheit |
| **Presse** | Rund 350 Tageszeitungen mit einer verkauften Gesamtauflage von 24 Millionen Exemplaren und einer Reichweite von 73 % der Bevölkerung. Größte überregionale Abonnementzeitungen: Süddeutsche Zeitung, Frankfurter Allgemeine Zeitung, Die Welt. „Bild" ist mit 3,6 Millionen Auflage das auflagenstärkste Blatt in Europa. Die Deutsche Presse-Agentur (dpa) ist der viertgrößte Nachrichtendienst der Welt |
| **Magazine** | Der Spiegel, Stern, Focus |
| **Internet** | 95 % der Unternehmen und 61 % der Haushalte verfügen über Internetzugang |
| **Rundfunk, Fernsehen** | Zweigliedriges System: Neben öffentlich-rechtlichen (gebührenfinanzierten) Rundfunk- und Fernsehanstalten (ARD, ZDF) gibt es private (werbefinanzierte) Anbieter. Das ZDF ist die größte Sendeanstalt Europas. Der Auslandsrundfunk ist die Deutsche Welle (DW-TV, DW-Radio, DW-world.de und die DW-Akademie) |

## Sozialsystem

**Soziale Sicherung** Es gibt in Deutschland ein hoch entwickeltes Netz an sozialen Sicherungssystemen (Renten-, Kranken-, Pflege- und Arbeitslosenversicherung), die von Arbeitnehmern und Arbeitgebern anteilig finanziert werden

**Gesundheit** Nahezu alle Einwohner Deutschlands sind krankenversichert (88 % in einer gesetzlichen, knapp 12 % in einer privaten Versicherung). Deutschland liegt mit Gesamtausgaben für Gesundheit von 10,7 % (gemessen am BIP) über dem OECD-Durchschnitt von 9,0 %

## Studienland

**Hochschule** In Deutschland gibt es 383 Hochschulen, davon 103 Universitäten und 176 Fachhochschulen. Von den rund 2 Millionen Studierenden sind 947 000 Frauen (48 %). Die Erhebung von Studiengebühren wird unterschiedlich gehandhabt. In sieben Ländern werden Gebühren von etwa 500 Euro pro Semester für das Erststudium erhoben; fast überall werden Beiträge für Langzeit- und Zweitstudium fällig

**Ausländische Studierende** An deutschen Hochschulen sind 246 000 ausländische Studentinnen und Studenten immatrikuliert. Deutschland ist damit nach den USA und Großbritannien das attraktivste Zielland für ausländische Studierende

**Abschlüsse** Bachelor, Master, Staatsexamen, Diplom, Magister, Promotion

## Kultur

**Tradition** Deutsche Schriftsteller, Komponisten und Philosophen wie Goethe, Schiller, Bach, Beethoven, Kant und Hegel haben Kulturepochen geprägt und nehmen einen bedeutenden Rang in der Welt ein

**Kulturföderalismus** Der föderale Aufbau Deutschlands und die Kulturhoheit der Länder sorgen für eine große Vielfalt an kulturellen Einrichtungen im ganzen Land und eine reiche Kulturszene. Besonders viele Anziehungspunkte hat die Hauptstadt Berlin mit drei Opernhäusern, 120 Museen, mehr als 50 Theatern und einer lebendigen, auch für junge ausländische Künstler attraktiven Kunstszene

**Kultureinrichtungen** 5000 Museen (davon 500 Kunstmuseen), 300 Theater, über 100 Musiktheater und Opernhäuser, 130 Berufsorchester, 7500 Bibliotheken

**Festivals** Richard-Wagner-Festspiele Bayreuth, Bachfest Leipzig, Theatertreffen Berlin, Internationale Filmfestspiele Berlin (Berlinale), Rock am Ring

**Bücher** 95 000 Neuerscheinungen oder neu aufgelegte Bücher pro Jahr

**UNESCO-Welterbe** In Deutschland stehen 32 Kultur- und Naturdenkmalstätten unter dem Schutz des UNESCO-Welterbes

**Deutschland im Internet**

**www.deutschland.de**
Offizielles Portal der Bundesrepublik Deutschland. Es bietet Zugänge in alle
gesellschaftlichen Bereiche (Deutsch, Englisch, Französisch, Spanisch,
Russisch, Arabisch)

**www.bundesregierung.de**
Umfangreiche Website der deutschen Bundesregierung, u.a. mit aktuellen
Meldungen zur Regierungspolitik (Deutsch, Englisch, Französisch)

**www.auswaertiges-amt.de**
Informationen zu Themen der deutschen Außenpolitik und Adressen deutscher
Auslandsvertretungen (Deutsch, Englisch, Französisch, Spanisch, Arabisch)

**www.invest-in-germany.de**
Die Website der Bundesagentur Invest in Germany GmbH bietet Informationen
über den Wirtschaftsstandort Deutschland (in sechs Sprachen)

**www.goethe.de**
Die Website des Goethe-Instituts informiert über Sprachkurse und Veranstaltungen der 142 Institute sowie über Kultur und Gesellschaft (Deutsch, Englisch)

**www.ifa.de**
Das Institut für Auslandsbeziehungen (ifa) gibt einen Überblick über Themen des
internationalen Kulturaustauschs (Deutsch, Englisch, Spanisch, Portugiesisch)

**www.daad.de**
Der Deutsche Akademische Austauschdienst (DAAD) informiert über Förder-
programme für Studierende, Graduierte und Wissenschaftler (in 22 Sprachen)

**www.dw-world.de**
Der Auslandsrundfunk Deutsche Welle (DW) bietet ein umfangreiches aktuelles
journalistisches Informationsangebot (in 30 Sprachen)

**www.deutschland-tourismus.de**
Die Website der Deutschen Zentrale für Tourismus (DZT) gibt einen umfassenden Überblick über das Urlaubsland Deutschland (Deutsch, Englisch)

**www.land-der-ideen.de**
Die Initiative „Land der Ideen" engagiert sich für den Standort Deutschland
und unterhält u.a. einen eigenen Medienservice (Deutsch, Englisch)

**www.destatis.de**
Website des Statistischen Bundesamtes (Deutsch, Englisch)

**www.magazine-deutschland.de**
Online-Auftritt der Zeitschrift „Deutschland" mit Beiträgen über aktuelle
Themen, Serviceteil und Media-Corner für Journalisten (in zehn Sprachen)

# 2

# Länder

16 Länder, hervorgegangen aus mehr als doppelt so vielen Königreichen, Fürstentümern und Miniresidenzen – Deutschland ist ein an Historie reiches Land. Auch seine Landschaften zeichnen ein Bild der Vielfalt: Sandstrände an Nord- und Ostsee, Ströme von europäischer Dimension, schließlich im Süden die schneegekrönten Alpen.

Die Deutschen, seien sie Bayern, Sachsen, Friesen oder Hessen, machen mit ihren Dialekten und Traditionen dieses Porträt lebendig. Kein Wunder, dass jährlich rund 24 Millionen Menschen nach Deutschland reisen. Sehr viele von ihnen kommen nicht nur einmal. Sie machen wahr, was man in Deutschland zum Abschied sagt: Auf Wiedersehen!

*Urlaubsparadies
Ostsee: Seebrücke Sellin auf
der Insel Rügen*

Tatsachen über Deutschland

# Land und Leute:
# Die 16 Länder
# im Porträt

*Von Klaus Viedebantt*

## Baden-Württemberg

Über Superlative reden sie nicht gerne, die Menschen in Baden-Württemberg. Dabei sammelt ihr Bundesland Rekorde: Nummer eins unter Europas Hightech-Standorten. Nirgendwo in Deutschland gibt es mehr Patentanmeldungen. Für Tüftler ist dieser Landstrich berühmt, Gottlieb Daimler, Carl Benz und Robert Bosch bezeugen das. Heute sichern nicht nur Bosch, Daimler, Porsche und Boss, sondern auch Mittelständler wie Fischer (Dübel), Stihl (Sägen) und Würth (Schrauben) den Titel des Export-Weltmeisters. Aber es wird nicht nur „geschafft" zwischen Heidelberg und Bodensee: Nirgendwo sonst im Lande gibt es so viele Sterneköche. Und die Weine sind fast ein Geheimtipp.

**Baden-Württemberg**
Hauptstadt: **Stuttgart**
Einwohner: **10 739 000**
Fläche in km²: **35 751,65**
BIP in Mrd. Euro: **337,12**
www.baden-wuerttemberg.de

*Majestätisch: Der Schlossplatz in Stuttgart*

## Bayern

Guten (Franken-)Wein keltert auch das „Bierland" Bayern. Oktoberfest, Schloss Neuschwanstein und Alpenpracht locken mehr ausländische Touristen hierher als in jedes andere Bundesland. Doch der Slogan „Laptop und Lederhose" zeigt: Bayern ist mehr als lebendiges Brauchtum. Seine Wirtschaft – sie ist stärker als die Schwedens – glänzt mit Weltmarken wie BMW, Audi, Siemens, MAN und EADS (Airbus). In der Hauptstadt München sind mehr Verlage zu Hause als in jeder anderen deutschen Stadt. Aber auch außerhalb der Metropole glänzt Deutschlands größtes Bundesland: Bayreuth meldet zu den Wagner-Festspielen alljährlich „ausverkauft". Ähnliches gilt alle zehn Jahre für Oberammergau und seine Passionsspiele.

**Freistaat Bayern**
Hauptstadt: **München**
Einwohner: **12 493 000**
Fläche in km²: **70 549,19**
BIP in Mrd. Euro: **409,48**
www.bayern.de

*Romantisch: Das Schloss Neuschwanstein, erbaut von Bayernkönig Ludwig II.*

**Berlin** 👑
Hauptstadt: **Berlin** 🐻
Einwohner: **3 404 000**
Fläche in km²: **891,75**
BIP in Mrd. Euro: **80,62**
www.berlin.de

*Großstädtisch:*
*Der Potsdamer Platz*

## Berlin

Einmal im Jahr, zur Berlinale, richtet die Filmwelt ihren Fokus auf Berlin. Aber globales Interesse sind die Berliner gewohnt. Schließlich sind sie, seit die Hohenzollern 1458 ihre Residenz errichteten, Hauptstädter. Eine Historie, die auch Schatten hat: die Nazi-Herrschaft und das DDR-Regime, das eine Mauer durch die Stadt zog. Seit 1990 ist Berlin wieder ungeteilte Hauptstadt mit Weltrang. Die Museumsinsel, Europas größter Museumskomplex, die Berliner Philharmoniker und rund 150 Bühnen sorgen für ein einzigartiges Kulturleben. Die „Wissenskapitale" birgt 20 Universitäten und Hochschulen. Die Wirtschaft glänzt mit Namen wie Bayer Schering Pharma oder Philip Morris. Und die ITB, die weltgrößte Touristikmesse, akzentuiert den Slogan: Berlin ist eine Reise wert.

**Brandenburg** 🦅
Hauptstadt: **Potsdam**
Einwohner: **2 548 000**
Fläche in km²: **29 477,16**
BIP in Mrd. Euro: **49,49**
www.brandenburg.de

*Geschichtsträchtig:*
*Das Schloss Sanssouci*

## Brandenburg

Das waldreiche Brandenburg umschließt die Hauptstadt Berlin und profitiert von seinem „Speckgürtel". Aber das seen- und waldreiche Land hat eigene Trümpfe. Das Kernland des Königreichs Preußen besitzt mit den Schlössern der Hohenzollern, insbesondere mit dem UNESCO-Welterbe Sanssouci, Juwelen höfischer Baukunst. Doch nicht nur deswegen gilt Potsdam, Brandenburgs Hauptstadt, als eine der schönsten Städte Deutschlands – auch Hugenotten aus den Niederlanden haben mit ihren Bauten dazu beigetragen. Heute schmücken sich die Brandenburger mit Hollywood-Produktionen aus der Filmstadt Babelsberg, mit der Europa-Universität Viadrina in Frankfurt/Oder und mit mehr als 280 ausländischen Unternehmen, beispielsweise mit der Deutschlandzentrale von Ebay.

**Freie Hansestadt Bremen** 🔑
Hauptstadt: **Bremen**
Einwohner: **664 000**
Fläche in km²: **404,23**
BIP in Mrd. Euro: **25,31**
www.bremen.de

## Bremen

Mit dem klassischen Seehandel, insbesondere mit Kaffee, ist die Hansestadt Bremen groß geworden. Im kleinsten Bundesland, unterteilt in die Stadt Bremen und das etwa 60 Kilometer entfernte Bremerhaven, sorgt der Hafen für jeden dritten Arbeitsplatz. Größter Arbeitgeber ist aber Daimler; Autos spielen generell eine große Rolle: Hier werden jährlich 1,9 Millionen Fahrzeuge ex- oder importiert. Auch die Kultur ist vom Handel geprägt: Das Überseemuseum und das Schifffahrtsmuseum ziehen Besucher aus ganz Deutschland an. Der Wohlstand der Kaufleute sorgte überdies für eines der schönsten Städtebau-Ensembles, den Rathausmarkt mit seinen Barock- und Renaissance-Bauten. Ein Tribut an die reiche Geschichte, die 888 mit dem Marktrecht begann.

*Maritim: Segelparade in Bremerhaven*

## Hamburg

Im Stadtstaat Hamburg sorgt der Hafen für den Herzschlag der Wirtschaft, wenngleich Airbus, Otto Versand und der Nivea-Konzern Beiersdorf dies nicht sofort erkennen lassen. Dass aber alle Ölkonzerne an der Elbe heimisch sind, ist den Tanker-Terminals zu verdanken. Seeleute und Schleute preisen wohl eher das Vergnügungsquartier St. Pauli. Doch den Hanseaten ist gewiss ihr Rang als Medien- und Wissenschaftszentrum wichtiger. Entsprechend groß ist die Nachfrage nach Kultur, die befriedigt wird von renommierten Museen wie der Kunsthalle und von fast 40 Bühnen – einschließlich der Staatsoper mit Ballett-Weltstar John Neumeier. Nationaler Champion ist Hamburg bei den Musical-Theatern, die monatlich Tausende von Besuchern in die Stadt locken.

**Freie und Hansestadt Hamburg**
Hauptstadt: **Hamburg**
Einwohner: **1 754 000**
Fläche in km²: **755,16**
BIP in Mrd. Euro: **86,15**
**www.hamburg.de**

*Kaufmännisch: Die Speicherstadt in Hamburg*

## Hessen

Wie eine Weltstadt wirkt in Deutschland eigentlich nur Frankfurt am Main: die höchsten Häuser, der größte Flughafen und die meisten Banken auf dem europäischen Festland (die Europäische Zentralbank inbegriffen). Die Superlative lassen sich fortsetzen, mit dem Bahnhof und dem Autobahnkreuz zum Beispiel – beide sind die verkehrsreichsten Deutschlands. Dabei hat die Metropole nur 662 000 Einwohner und ist nicht einmal die Hauptstadt von Hessen. Mit diesem Titel schmückt sich das elegante Wiesbaden. Ansonsten ist Hessen eher unscheinbar, mit dicht bewaldeten Mittelgebirgen, rieslingselig im

**Hessen**
Hauptstadt: **Wiesbaden**
Einwohner: **6 075 000**
Fläche in km²: **21 114,72**
BIP in Mrd. Euro: **204,28**
**www.hessen.de**

*Weltläufig: Die Skyline von Frankfurt am Main*

Rheingau und überall geschäftig. Opel in Rüsselsheim und VW bei Kassel sind die Industrie-Riesen, die ESA in Darmstadt steuert ein gut Teil der europäischen Weltraum-Aktivitäten.

**Mecklenburg-Vorpommern**
Hauptstadt: **Schwerin**
Einwohner: **1694000**
Fläche in km²: **23174,17**
BIP in Mrd. Euro: **32,51**
www.mecklenburg-vorpommern.de

*Imposant:*
*Die Kreidefelsen der*
*Insel Rügen*

## Mecklenburg-Vorpommern

Es muss nicht gleich das Weltall sein, schon vom Flugzeug her wirkt Mecklenburg-Vorpommern besonders einladend mit seinen mehr als 2000 Seen, den vielen Wasserläufen und dem satten Grün dazwischen. Die 350 Kilometer Ostseeküste mitgezählt ist das Bundesland im Nordosten das größte Wassersportrevier Mitteleuropas. Kein Wunder, dass der Tourismus die größte Einnahmequelle des Landes ist. Damit das so bleibt, steht rund ein Fünftel der Landesfläche unter Naturschutz. Der Schiffsbau an der Küste und die Landwirtschaft sind abseits der Urlaubszentren der Haupterwerb im dünnstbesiedelten Bundesland. Die beiden ältesten Universitäten Nordeuropas und eine Vielzahl innovativer Forschungs- und Entwicklungsbetriebe machen das Land zu einer der dynamischsten Regionen für Hightech, Biotech und Meditech.

**Niedersachsen**
Hauptstadt: **Hannover**
Einwohner: **7983000**
Fläche in km²: **47618,24**
BIP in Mrd. Euro: **197,09**
www.niedersachsen.de

*Futuristisch:*
*Die Autostadt in*
*Wolfsburg*

## Niedersachsen

Den Schiffsbauern von Papenburg verdankt Niedersachsen seine weltweiten TV-Auftritte – immer wenn die Meyer-Werft einen neuen Luxusliner durch die schmale Ems navigiert. Doch die Industrie Nummer eins ist zwischen den Urlaubsinseln an der Nordseeküste und den Bergen des Harz die Autobranche mit Namen wie Volkswagen in Wolfsburg und Continental in Hannover. Dort laufen auch alle Fäden eines der größten Reiseveranstalter der Welt, der TUI, zusammen. Die Landeshauptstadt findet darüber hinaus zweimal im Jahr globales Interesse, zur Hannover Messe und zur weltgrößten Messe für Informationstechnologie, der CeBIT. Aber international ist Hannover schon lange, schließlich regierten die hannoverschen Herrscher von 1714 bis 1837 zugleich als Könige von England.

## Nordrhein-Westfalen

Nirgendwo in Deutschland leben mehr Menschen, entsprechend viele Städte gibt es hier: Köln mit seinem gotischen Meisterwerk, dem Dom, Bonn, die erste Hauptstadt der Bundesrepublik, Düsseldorf, die modebewusste Landeshauptstadt, Aachen, unter Kaiser Karl dem Großen die Hauptstadt Europas, Duisburg mit dem größten Binnenhafen des Kontinents, die Wirtschaftszentren Krefeld und Bielefeld oder die Ruhrgebietsmetropolen Essen und Dortmund. An ihnen lässt sich der Wandel des immer noch größten deutschen Industriereviers ablesen: Kohle und Stahl werden nun flankiert von Biochemie und Hightech. Doch „NRW" hat nicht nur das dichteste Forschungsnetz Europas, es zählt laut UNESCO neben New York und Paris zu den wichtigsten Kulturregionen der Erde.

**Nordrhein-Westfalen**
Hauptstadt: **Düsseldorf**
Einwohner: **18 029 000**
Fläche in km²: **34 083,52**
BIP in Mrd. Euro: **501,71**
www.nordrhein-westfalen.de

*Asymmetrisch: Die „Gehry-Bauten" in Düsseldorf*

## Rheinland-Pfalz

Ein wichtiger Posten auf der UNESCO-Liste der Welterbestätten ist das Rheintal zwischen Bingen und Koblenz, ein Juwel, das größtenteils zu Rheinland-Pfalz gehört. Weinland-Pfalz wird es auch genannt, dieses Zentrum der Wein- und Sektwirtschaft. Darüber könnte man vergessen, dass sich dieses Land schon früh der Spitzentechnologie verschrieben hat – der Chemiegigant BASF ist ein Beispiel. Innovativ war das Land schon immer, sei es mit dauerhafter Wirkung wie Johannes Gutenberg, der in der heutigen Landeshauptstadt Mainz den Buchdruck mit beweglichen Lettern erfand, sei es mit zeitweiliger Wirkung wie das Werk von Karl Marx aus Trier. Doch wo alle größeren Städte römische Gründungen sind, werden auch Kultur und Lebensfreude gepflegt. Davon zeugen jährlich mehr als 50 Festivals.

**Rheinland-Pfalz**
Hauptstadt: **Mainz**
Einwohner: **4 053 000**
Fläche in km²: **19 847,39**
BIP in Mrd. Euro: **100,72**
www.rheinland-pfalz.de

*Touristisch:*
*Die Weinberge am Rhein*

## Saarland

Saarbrückens Filmfestival für den deutschsprachigen Nachwuchs hat Karrieren gestartet, Franka Potente und Til Schweiger belegen es. Eine stolze Bilanz für das Bundesland, das binnen 200 Jahren achtmal die Nationalität wechselte. Das Grenzland ist geprägt von Frankreichs Einfluss

**Saarland**
Hauptstadt: **Saarbrücken**
Einwohner: **1 043 000**
Fläche in km²: **2568,65**
BIP in Mrd. Euro: **28,01**
www.saarland.de

# Welterbe der Menschheit

Zeugnisse der Vergangenheit und einzigartige
Naturlandschaften: 32-mal hat die UNESCO
Kultur- und Naturdenkmäler aus den verschie-
densten Epochen in Deutschland als Welterbe
der Menschheit unter Schutz gestellt

**Bremen**
Die Rolandstatue auf
dem Rathausplatz ist das
Wahrzeichen der Stadt

**1 Bremen**
Rolandstatue und Rathaus

**2 Quedlinburg**
Stiftskirche, Schloss und Altstadt

**3 Essen**
Industriekomplex
Zeche Zollverein

**4 Aachen**
Dom mit Pfalzkapelle

**5 Köln**
Dom der Hochgotik

**6 Brühl**
Schlösser Augustusburg
und Falkenlust

**7 Oberes Mittelrheintal**
Kulturlandschaft von großer
Vielfalt und Schönheit

**8 Trier**
Römische Baudenkmäler, Dom
und Liebfrauenkirche

**9 Grube Messel bei Darmstadt**
Fossilienlagerstätte mit reichen
Funden aus dem Eozän

**10 Lorsch**
Torhalle der ehemaligen
Benediktinerabtei und Ruinen
des Klosters Altenmünster

**11 Völklingen**
Das Eisenwerk Völklinger Hütte

**12 Speyer**
Romanischer Kaiserdom

**13 Bamberg**
Altstadt der Bischofs- und Kaiser-
stadt am Flüsschen Regnitz

**14 Regensburg**
Historische Altstadt

**15 Maulbronn**
Kloster der Zisterzienser

**16 Reichenau**
Klosterinsel im Bodensee

**Quedlinburg**
Die Altstadt gilt als eines
der größten Flächendenk-
mäler Deutschlands

**Essen**
Der „Eiffelturm des Ruhrgebiets":
Die Zeche Zollverein, entstanden um 1850, ist
Industrie- und Architekturdenkmal

**Aachen**
Als „Wunder der Bau-
kunst" sahen Zeitge-
nossen die Pfalzkapel-
le Karls des Großen

**Oberes Mittelrheintal**
Das Tal zwischen Bingen,
Rüdesheim und Koblenz
gilt als Inbegriff der
romantischen Rhein-
landschaft

**Völklingen**
Die Völklinger Hütte
steht für ein Jahrhun-
dert Geschichte von
Arbeit und Stahl

**Maulbronn**
Das Kloster gilt als die am
besten erhaltene Kloster-
anlage des Mittelalters
nördlich der Alpen

**Reichenau**
Die Klosterinsel ist Zeugnis
der tragenden Rolle des
Benediktinerordens im
Mittelalter

**Lübeck**
Der mittelalterliche Stadt-
kern ist beispielhaft für die
Hansestädte im Ostseeraum

**Stralsund und Wismar**
Aufwändig gestaltete Kauf-
mannshäuser prägen die
beiden Ostseestädte

**Berlin**
Ein Eiland der Kultur:
Das einzigartige Ensemble
der Museumsinsel

**Dessau**
Walter Gropius' „Hoch-
schule für Gestaltung"
war ein Pilgerort für
die Avantgarde der
Architektur

**Eisenach**
Martin Luther, Sängerkrieg und
das Fest der Burschenschaften sind
mit der Wartburg verbunden

**Weimar**
Das Klassische Weimar ist die
Stadt Goethes und Schillers, Herders
und Wielands

**Würzburg**
Die fürstbischöfliche Residenz gilt als
Hauptwerk des süddeutschen Barock

**Limes**
Der deutsche Teil des Grenzwalls des
Römischen Imperiums bildet zusammen mit dem Hadrianswall eine grenz-
überschreitende Welterbestätte

**Steingaden**
Die Wieskirche am Fuß der Alpen
ist eines der vollendetsten Kunst-
werke des bayerischen Rokoko

**www.unesco.de**

**17  Stralsund und Wismar**
Die Altstädte der beiden
Hansestädte

**18  Lübeck**
Altstadt mit Rathaus, Burgkloster,
Holstentor und Salzspeicher

**19  Berlin**
Museumsinsel mit Pergamon-
Museum und Nationalgalerie

**20  Potsdam und Berlin**
Schlösser und Parks von
Potsdam-Sanssouci und Berlin

**21  Hildesheim**
Romanische Michaeliskirche
und Dom

**22  Goslar**
Altstadt und historisches Silber-
bergwerk Rammelsberg

**23  Wittenberg und Eisleben**
Luthergedenkstätten mit
Geburtshaus und Schlosskirche

**24  Dessau und Weimar**
Die Wirkungsstätten der Bau-
haus-Schule der Architektur

**25  Dessau-Wörlitz**
Gartenreich des Fürsten
von Anhalt-Dessau

**26  Bad Muskau**
Deutsch-polnisches Kulturerbe
Muskauer Park

**27  Eisenach**
Die Wartburg: Symbol deutscher
Einheit

**28  Weimar**
Einzigartige Zeugnisse
der Weimarer Klassik

**29  Würzburg**
Würzburger Residenz mit
prachtvollen Gärten

**30  Dresden**
Elbtal zwischen Schloss Übigau
und der Elbe-Insel im Südosten

**31  Obergermanisch-rätischer Limes**
Mit 550 Kilometern Länge das
längste Bodendenkmal Europas

**32  Steingaden**
Wallfahrtskirche „Die Wies"

*Malerisch:*
*Die Saarschleife*

**Freistaat Sachsen**
Hauptstadt: **Dresden**
Einwohner: **4 250 000**
Fläche in km²: **18 413,91**
BIP in Mrd. Euro: **88,71**
**www.sachsen.de**

*Prachtvoll: Das Elbufer*
*bei Dresden*

**Sachsen-Anhalt**
Hauptstadt: **Magdeburg**
Einwohner: **2 442 000**
Fläche in km²: **20 445,26**
BIP in Mrd. Euro: **50,14**
**www.sachsen-anhalt.de**

*Zentral: Das*
*Händel-Denkmal*
*in Halle*

auf Küche und Lebensstil, dem „Saarvoir vivre". Die Kohle spielt im früheren Revier keine Rolle mehr, Stahl und Autobau konkurrieren nun mit der aufstrebenden Informatik um die Führungsrolle. Der Stahl hinterließ eine faszinierende Attraktion: die Völklinger Hütte, ein Weltkulturerbe der UNESCO. Der bekannteste Name dürfte aber der weltweit aktive Porzellankonzern Villeroy & Boch sein.

## Sachsen

Meißen ist zwar eine kleine, aber dank ihres Porzellans neben der Landeshauptstadt Dresden und der Messemetropole Leipzig wohl die bekannteste Stadt Sachsens. Der Freistaat gehört zu den dynamischen Wirtschaftsregionen im Osten Deutschlands, vor allem die IT-Branche, der feinmechanische Uhrenbau und der Autobau prägen den Aufbruch, dessen Symbol die wiedererbaute Frauenkirche im barocken Dresden ist. Sachsens Kultur setzt heute wie einst ihre größten Akzente in der Musik, repräsentiert durch Dresdens Semperoper und den fast 800 Jahre alten Thomanerchor in Leipzig, wo Johann Sebastian Bach als Kantor wirkte. Ist er der größte aller Sachsen? Mit Richard Wagner hat Bach zumindest einen gewichtigen Rivalen.

## Sachsen-Anhalt

Seinem größten Sohn, Georg Friedrich Händel, richtet Halle alljährlich ein großes Festival aus. Dennoch muss der Barock-Komponist zurückstehen hinter Martin Luther. Der Reformator aus Eisleben veränderte die christliche Welt. Die „Lutherstadt" Wittenberg ist so einer der meistbesuchten Orte in dem an Burgen und Kirchen reichen Land. Bekannt ist aber auch das Chemiedreieck Halle-Merseburg-Bitterfeld: Seit der Wiedervereinigung hat Sachsen-Anhalt das meiste ausländische Kapital angezogen. Heute raffiniert Total in Leuna, Dow Chemical produziert in Schkopau, der Chemieriese Bayer in Bitterfeld. Naturfreunde zieht es hingegen zu dem 1141 Meter hohen Brocken. Sein Gipfel ist mythenumwoben: In der Walpurgisnacht vor dem 1. Mai treffen sich dort die Hexen zum Tanz.

## Schleswig-Holstein

Die gefürchtetste Mythenfigur ist in Schleswig-Holstein der Blanke Hans, steht er doch für die zerstörende Kraft der See. Und das nördlichste Bundesland grenzt gleich an zwei Meere, an Nord- und Ostsee. Entsprechend wichtig sind hier seit alters Schiffsbau und Fischfang, zwei Drittel der deutschen Fangflotte sind hier heimisch. Die Haupteinnahmequellen sind heute allerdings der Tourismus und die Landwirtschaft. Die Nordseeinsel Sylt gilt als mondäne Urlaubsinsel. Die Landeshauptstadt Kiel und die – durch Thomas Mann unsterblich gewordene – Hansestadt Lübeck streiten um den Rang der bedeutendsten Städte. Beide sind neben Puttgarden die wichtigsten Fährhäfen des Landes für die Skandinavienrouten. Parallel zur Entwicklung in Osteuropa profitiert das Land vom Wirtschaftsraum Ostsee.

**Schleswig-Holstein**
Hauptstadt: **Kiel**
Einwohner: **2 834 000**
Fläche in km²: **15 763,18**
BIP in Mrd. Euro: **69,86**
**www.schleswig-holstein.de**

*Idyllisch: Der „weite Himmel" von Schleswig-Holstein*

## Thüringen

Die Berge des Thüringer Waldes liefern die Kulisse für einen der schönsten deutschen Wanderwege, den 169 Kilometer langen Rennsteig. Er ist ebenso Markenzeichen für das Land wie seine Rostbratwürste, die historische Wartburg oder die Weimarer Dichterfürsten Goethe und Schiller. Thüringen hat aber nicht nur eine kulinarische und literarische Tradition, es war auch stets ein Land der Forscher. In Jena begründeten Zeiss und Schott die moderne optische Industrie; Jenoptik ist – neben dem Autobauer Opel und dem Turbinenfertiger Rolls-Royce – heute wieder eine der wichtigsten Firmen. In der Landeshauptstadt Erfurt verweist man aber auch gerne auf die florierende Biotechnologie und die Solartechnik, zumal vier Universitäten eine gute Ausbildung bieten. •

**Freistaat Thüringen**
Hauptstadt: **Erfurt**
Einwohner: **2 311 000**
Fläche in km²: **16 172,14**
BIP in Mrd. Euro: **45,99**
**www.thueringen.de**

**Klaus Viedebantt**
Der Journalist und promovierte Kulturanthropologe war Ressortleiter bei der „Zeit" und der „FAZ" und ist Autor zahlreicher Reisebücher.

# Geschichte und Gegenwart

Deutschlands Weg zu einer freiheitlichen Demokratie und einem funktio-
nierenden parlamentarischen System
führte über viele historische Brüche:
über die Kleinstaaterei der frühen Neu-
zeit, das Scheitern der Märzrevolution
und der Weimarer Republik bis zum
„Sprung aus der Geschichte" durch den
Nationalsozialismus.

Einheit und Freiheit, seit dem 19. Jahrhundert zentrale Begriffe, bewegten die
Deutschen auch während der Teilung
nach dem Zweiten Weltkrieg. Erst
mit der Wiedervereinigung 1990 wurde
die „deutsche Frage" gelöst.

*Friedliche Revolution:*
*Am 9. November 1989 fällt*
*die Berliner Mauer,*
*das Symbol der deutschen*
*Teilung*

# Abschied von der deutschen Frage - Rückblick auf einen langen Weg nach Westen

*Von Heinrich August Winkler*

184 JAHRE IST SIE ALT GEWORDEN, die deutsche Frage. Sie entstand, als sich am 6. August 1806 der letzte Kaiser des Heiligen Römischen Reiches Deutscher Nation, Franz II., einem Ultimatum Napoleons beugte, die Reichskrone niederlegte, die Reichsstände von ihren Pflichten entband und damit das „Alte Reich" auflöste. Gelöst wurde die deutsche Frage, als am 3. Oktober 1990 unter Zustimmung der ehemaligen vier Besatzungsmächte die Deutsche Demokratische Republik (DDR) der Bundesrepublik Deutschland beitrat. Die historische Bedeutung der **Wiedervereinigung** beschrieb beim Staatsakt in der Berliner Philharmonie Bundespräsident Richard von Weizsäcker mit einem Satz, der es verdient, in die Geschichtsbücher einzugehen: „Der Tag ist gekommen, an dem zum ersten Mal in der Geschichte das ganze Deutschland seinen dauerhaften Platz im Kreis der westlichen Demokratien findet."

Eine deutsche Frage hat es zwischen 1806 und 1990 nicht ununterbrochen gegeben. Niemand wäre auf den Gedanken gekommen, während der Zeit des deutschen Kaiserreiches, zwischen 1871 und 1918, von einer offenen deutschen Frage zu sprechen. Unstrittig ist, dass die deutsche Frage spätestens am 8. und 9. Mai 1945 wieder aufgeworfen wurde, als das Deutsche Reich vor den Siegern des Zweiten Weltkriegs bedingungslos kapitulierte. Die Teilung Deutschlands in zwei Staaten war eine vorläufige Antwort auf die deutsche Frage. Die endgültige Antwort war der Zusammenschluss der beiden Staaten, verbunden mit der völkerrecht-

**Wiedervereinigung**
Mit dem friedlichen Umsturz in der DDR 1989 rückte die Wiedervereinigung beider deutscher Staaten näher. Im Sommer 1990 begannen in Berlin die Beratungen über den Einigungsvertrag. Am 3. Oktober 1990 trat die DDR auf Grundlage des Artikels 23 des Grundgesetzes dem Geltungsbereich der Bundesrepublik Deutschland bei. Am 2. Dezember 1990 fand die erste gesamtdeutsche Bundestagswahl statt.

**Heiliges Römisches Reich**
Die Bezeichnung für das Reich, das sich von 962 an mit der Kaiserkrönung Ottos I. aus dem Ostfränkischen Reich herausbildete – seit 1512 offiziell „Heiliges Römisches Reich Deutscher Nation" genannt –, drückte zum einen den Herrschaftsanspruch in der Nachfolge des antiken „Imperium Romanum" aus, zum anderen sollte die sakrale Rolle des Kaisertums herausgestellt werden. Das „Reich" bestand mehr als acht Jahrhunderte, bis der Habsburger Franz II. im Jahr 1806 kurz nach der Bildung des Rheinbundes auf Verlangen Napoleons die Kaiserkrone niederlegte.

**Deutscher Bund**
Der lose Zusammenschluss der souveränen deutschen Staaten und freien Städte wurde 1815 auf dem Wiener Kongress gebildet. Dem Bund gehörten zunächst 41, am Schluss 33 Mitglieder an. Zweck der Konföderation war vor allem die innere und äußere Sicherheit all ihrer Mitglieder. Der Bund hatte nur ein einziges Organ: die Bundesversammlung mit Sitz in Frankfurt am Main. Der sich seit der Mitte des 19. Jahrhunderts verschärfende österreichisch-preußische Gegensatz führte zum Ende des Deutschen Bundes. 1866 wurde er aufgelöst.

*Das „Hambacher Fest", 1832: Höhepunkt der bürgerlichen Opposition des „Vormärz"*

lichen Anerkennung der Grenzen von 1945. Seit dem 3. Oktober 1990 steht unverrückbar fest, wo Deutschland liegt, was dazugehört und was nicht.

## 1830–1848: Vormärz und Paulskirchenbewegung

Für die Deutschen hatte die deutsche Frage immer zwei Seiten: Sie war eine Frage des Gebiets und eine Frage der Verfassung, genauer gesagt: des Verhältnisses von Einheit und Freiheit. Im Mittelpunkt der Gebietsfrage stand das Problem „großdeutsch" oder „kleindeutsch". Wenn es gelang, an die Stelle des **Heiligen Römischen Reiches** einen deutschen Nationalstaat zu setzen, musste dieser das deutschsprachige Österreich einschließen, oder ließ sich eine Lösung der deutschen Frage ohne diese Gebiete vorstellen? Die Verfassungsfrage betraf vor allem die Machtverteilung zwischen Volk und Thron. Wer sollte in einem einigen Deutschland das Sagen haben: die gewählten Vertreter der Deutschen oder die Fürsten beziehungsweise deren mächtigster?

Um Einheit und Freiheit ging es erstmals in den Befreiungskriegen gegen Napoleon. Der Kaiser der Franzosen wurde geschlagen, aber die Beseitigung der Fremdherrschaft brachte den Deutschen weder ein einheitliches Deutschland noch freiheitliche Verhältnisse in den Staaten des **Deutschen Bundes**, der 1815 an die Stelle des Alten Reiches trat. Aber dauerhaft unterdrücken ließ sich der Ruf nach Einheit und Freiheit nun nicht mehr. Er wurde zu Beginn der 1830er Jahre wieder laut, nachdem die Franzosen sich in der Julirevolution von 1830 eine bürgerlich-liberale Monarchie erkämpft hatten. Und wenn sich auch in Deutschland die alten Gewalten abermals durchsetzen konnten, so gaben doch die Liberalen und Demokraten fortan keine Ruhe mehr. Im März 1848 brach, angestoßen durch das französische Beispiel vom Februar, auch in Deutschland die Revolution aus: Einheit und Freiheit war erneut die Forderung der Kräfte, die sich auf der Seite des historischen Fortschritts wussten. Aus Deutschland einen Nationalstaat und gleichzeitig einen Verfassungsstaat zu machen: das war ein ehrgeizigeres Ziel als jenes, das sich die französischen Revolutionäre von 1789 gesetzt hatten. Denn die fanden einen wenn auch vormodernen Nationalstaat bereits vor, den sie auf eine völlig neue, eine bürgerliche Grundlage stellen wollten. Wer Einheit und Freiheit für die Deutschen forderte, musste vorab klären, was zu Deutschland gehören sollte. Dass ein deutscher Nationalstaat den deutschsprachigen Teil der Habsburgermonarchie umfassen musste, war im ersten frei gewählten Parlament, der Nationalversammlung in der **Frankfurter Paulskirche**, zunächst unumstritten. Erst seit dem Herbst 1848 setzte sich bei der Mehrheit der Abgeordneten die Einsicht durch, dass es nicht in ihrer Macht lag, das Vielvölkerreich an der Donau auseinanderzusprengen. Da sich ein großdeutscher Nationalstaat mit Österreich also nicht herbeizwingen ließ, war nur ein kleindeutscher Nationalstaat ohne Österreich möglich, und das hieß nach Lage der Dinge: ein Reich unter einem preußischen Erbkaiser.

Der deutsche Staat, an dessen Spitze nach dem Willen der Frankfurter Nationalversammlung Friedrich Wilhelm IV. von Preußen treten sollte, wäre ein freiheitlicher Verfassungsstaat mit einem starken, die Regierung kontrollierenden Parlament gewesen. Der König von Preußen hätte als deutscher Kaiser auf sein Gottesgnadentum verzichten und sich als Vollzugsorgan des souveränen Volkswillens verstehen müssen: ein Ansinnen, das der Monarch aus dem Haus der Hohenzollern am 28. April 1849 endgültig zurückwies. Damit war die Revolution gescheitert: Sie hatte den Deutschen weder die Einheit noch die Freiheit gebracht. Was bei den bürgerlichen Liberalen zurückblieb, war ein Gefühl politischen Versagens: Sie hatten, so erschien es rückblickend, im „tollen Jahr" vielen Illusionen nachgejagt und waren von den Realitäten der Macht eines Besseren belehrt worden.

„Realpolitik" stieg nicht zufällig einige Jahre nach der Revolution von 1848 zum politischen Schlagwort auf: Die internationale Karriere dieses Begriffs begann mit einer Schrift des liberalen Publizisten Ludwig August von Rochau, die dieser 1853 unter dem Titel „Grundsätze der Realpolitik.

**Paulskirche 1848**
Die deutsche „Märzrevolution" zwischen März 1848 und Sommer 1849 war eine bürgerlich-demokratische und nationale Erhebung, wie sie zugleich in weiten Teilen Europas stattfand. Sie war ein erster Versuch, einen freien, demokratischen und einheitlichen deutschen Nationalstaat zu schaffen. Die „Deutsche Revolution" erzwang die Berufung liberaler Regierungen und Wahlen zu einer verfassunggebenden Nationalversammlung, die in der Paulskirche in Frankfurt am Main zusammentrat. Bis zum Juli 1849 wurde die Bewegung von den Truppen der deutschen Fürsten gewaltsam niedergeschlagen und wurden die alten Verhältnisse weitgehend wiederhergestellt.

**Otto von Bismarck (1815–1898)**
Die Einigung Deutschlands unter der Vormachtstellung Preußens war das erklärte Ziel des Staatsmannes Otto von Bismarck, den König Wilhelm I. 1862 zum Ministerpräsidenten Preußens berufen hatte. Nach dem Krieg 1866 gegen Österreich wurde der Deutsche Bund aufgelöst und der Norddeutsche Bund gegründet, dem sich 17 deutsche Kleinstaaten unter Führung Preußens anschlossen. Der Sieg über Frankreich 1870/71 führte zur Gründung des zweiten Deutschen Reichs und zur Kaiserproklamation Wilhelms I. in Versailles. Bismarck blieb Ministerpräsident und wurde zugleich Reichskanzler. Der Reichstag wurde als gewählte Volksvertretung – mit eingeschränkten Rechten – neu geschaffen. Bismarck bekämpfte erbittert den Linksliberalismus, den politischen Katholizismus und die Sozialdemokratie, sorgte aber in den 1880er Jahren auch für die fortschrittlichste Sozialgesetzgebung in Europa. Schwere Konflikte mit dem seit 1888 regierenden Kaiser Wilhelm II. führten 1890 zur Entlassung des „Eisernen Kanzlers".

*Der „Eiserne Kanzler": Otto von Bismarck prägte über knapp drei Jahrzehnte die Politik*

Angewendet auf die staatlichen Zustände Deutschlands" herausbrachte. Der Sache nach hatte sich freilich die Paulskirche durchaus schon in „Realpolitik" geübt, als sie das Selbstbestimmungsrecht anderer Völker – der Polen im preußischen Großherzogtum Posen, der Dänen in Nordschleswig, der Italiener in „Welschtirol" – ignorierte und die Grenzen des künftigen Deutschen Reiches dort zu ziehen beschloss, wo es das vermeintliche nationale Interesse Deutschlands gebot. Damit war der Einheit erstmals ein höherer Rang zuerkannt worden als der Freiheit. Noch war es die Freiheit anderer Nationen, die hinter dem Ziel der deutschen Einheit zurückzustehen hatte.

## 1871: Die Reichsgründung

In den sechziger Jahren des 19. Jahrhunderts aber fiel die Entscheidung für den Vorrang der Einheit vor der Freiheit auch in Deutschland. Das war das Ergebnis jener „Revolution von oben", mit der der preußische Ministerpräsident **Otto von Bismarck** die deutsche Frage auf seine Weise löste. Die innenpolitische Machtfrage entschied er durch den preußischen Verfassungskonflikt der Jahre 1862 bis 1866 zugunsten der Exekutive und gegen das Parlament; die außenpolitische Machtfrage wurde durch den Krieg von 1866 im kleindeutschen Sinn, also unter Ausschluss Österreichs, und im Deutsch-Französischen Krieg von 1870/71 gegen die Macht beantwortet, die bis dahin ein Veto gegen die Errichtung eines deutschen Nationalstaats eingelegt hatte: das Frankreich Napoleons III.

Ein Ziel der Revolution von 1848 war damit erreicht: das der Einheit. Die Forderung nach Freiheit aber, sofern man darunter vor allem eine dem Parlament verantwortliche Regierung verstand, blieb unerfüllt. Die Freiheitsfrage hätte Bismarck selbst dann nicht im Sinne der Liberalen lösen können, wenn das seine Absicht gewesen wäre: Eine Parlamentarisierung widersprach nicht nur elementar den Interessen der Trägerschichten des alten Preußen – seiner Dynastie, seines Heeres, seiner Rittergutsbesitzer, seines hohen Beamtentums. Sie widersprach auch den Interessen der anderen deutschen Staaten, obenan Bayern, Sachsen, Württemberg. Ihnen stand in Gestalt des Bundesrates ein wesentlicher Anteil an der Exekutivgewalt im Deutschen Reich zu, und diese Macht wollten sie nicht zugunsten des Reichstags aufgeben.

Der Reichstag wurde aufgrund des allgemeinen und gleichen Wahlrechts für Männer gewählt, die das 25. Lebensjahr vollendet hatten. Das entsprach den Bestimmungen der niemals in Kraft getretenen Reichsverfassung von 1849 und gab den Deutschen mehr demokratische Rechte, als sie damals die Bürger liberaler Mustermonarchien wie Großbritannien oder Belgien genossen. Man kann infolgedessen von einer Teildemokratisierung Deutschlands im 19. Jahrhundert oder, bezogen auf die Gesamtdauer des Kaiserreiches, von einer ungleichzeitigen Demokratisierung sprechen: Das Wahlrecht wurde vergleichsweise früh, das Regierungssystem im engeren Sinn spät demokratisiert.

*Vor der „Schlacht um Verdun",*
*1916: Über 700000 Deutsche und*
*Franzosen verloren ihr Leben*

## 1914–1918: Der Erste Weltkrieg

Erst im Oktober 1918, als es an der militärischen Niederlage Deutschlands im **Ersten Weltkrieg** keinen Zweifel mehr gab, erfolgte die entscheidende Verfassungsänderung, die den Reichskanzler vom Vertrauen des Reichstags abhängig machte. Die Parlamentarisierung sollte die siegreichen westlichen Demokratien einem milden Frieden geneigt machen und einer Revolution von unten zuvorkommen. Beide Ziele wurden nicht erreicht, aber den Gegnern der Demokratie war es fortan ein Leichtes, das parlamentarische System als „westlich" und „undeutsch" zu denunzieren.

Die Revolution von unten brach im November 1918 aus, weil die Oktoberreform ein Stück Papier blieb: Das Militär war zu großen Teilen nicht bereit, sich der politischen Führung durch die parlamentarisch verantwortliche Reichsleitung zu unterstellen. Zu den großen oder klassischen Revolutionen der Weltgeschichte kann man die deutsche von 1918/19 aber nicht rechnen: Für einen radikalen politi-

**Erster Weltkrieg**
Der Erste Weltkrieg (1914–1918) wurde zunächst zwischen dem Deutschen Reich und Österreich-Ungarn auf der einen und den Entente-Mächten Frankreich, Großbritannien, Russland und Serbien auf der anderen Seite ausgetragen. In seinem Verlauf traten weitere Staaten in Europa, Asien, Afrika und Amerika in den Krieg ein, darunter 1917 die USA, deren Kriegseintritt entscheidend werden sollte. Der Krieg forderte fast 15 Millionen Menschenleben. Dem militärischen Zusammenbruch des Deutschen Reiches folgte die politische Umwälzung: Als Folge der Revolution im November 1918 unterzeichnete Kaiser Wilhelm II. die Abdankungserklärung. Die Monarchie wich der Republik.

schen und gesellschaftlichen Umbruch nach Art der Französischen Revolution von 1789 oder der russischen Oktoberrevolution von 1917 war Deutschland um 1918 bereits zu „modern". In einem Land, das auf der nationalen Ebene seit rund einem halben Jahrhundert das allgemeine gleiche Wahlrecht für Männer kannte, konnte es nicht um die Einrichtung einer revolutionären Erziehungsdiktatur, sondern nur um mehr Demokratie gehen. Das hieß konkret: Einführung des Frauenwahlrechts, Demokratisierung des Wahlrechts in den Einzelstaaten, Kreisen und Gemeinden, volle Durchsetzung des Prinzips parlamentarisch verantwortlicher Regierungen.

## 1919–1933: Die Weimarer Republik

Die Kontinuität zwischen dem Kaiserreich und der **Weimarer Republik**, wie sie aus dem Sturz der Monarchie im November 1918 und den Wahlen zur verfassunggebenden Deutschen Nationalversammlung im Januar 1919 hervorging, war in der Tat beträchtlich. In gewisser Weise lebte sogar die Institution des Monarchen in veränderter Form fort: Das Amt des vom Volk gewählten Reichspräsidenten war mit so starken Befugnissen ausgestattet, dass schon Zeitgenossen von einem „Kaiserersatz" oder einem „Ersatzkaiser" sprachen.

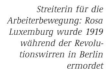

Auch moralisch gab es keinen Bruch mit dem Kaiserreich. Eine ernsthafte Auseinandersetzung mit der Kriegsschuldfrage fand nicht statt, obwohl (oder weil) die deutschen Akten eine klare Sprache sprachen: Die Reichsleitung hatte nach der Ermordung des österreichisch-ungarischen Thronfolgers in Sarajevo am 28. Juni 1914 die internationale Krise bewusst zugespitzt und trug damit die Hauptverantwortung für den Ausbruch des Ersten Weltkrieges. Die Folge der fehlenden Kriegsschulddiskussion war eine deutsche Kriegsunschuldlegende. Zusammen mit der Dolchstoßlegende (der zufolge der Verrat in der Heimat zur Niederlage Deutschlands geführt hatte) trug sie dazu bei, die Legitimität der ersten deutschen Demokratie zu untergraben.

*Streiterin für die Arbeiterbewegung: Rosa Luxemburg wurde 1919 während der Revolutionswirren in Berlin ermordet*

*Tanz auf dem Vulkan:
Der Maler Otto Dix hielt das
mondäne Leben in Berlin
fest („Großstadt", 1927)*

Der Friedensvertrag von Versailles, den Deutschland am 28. Juni 1919 unterzeichnen musste, wurde von fast allen Deutschen als schreiendes Unrecht empfunden. Das lag an den Gebietsabtretungen, vor allem an denen zugunsten des neu entstandenen Polen, an den materiellen Belastungen in Form der Reparationen, dem Verlust der Kolonien und den militärischen Beschränkungen, die allesamt mit der Kriegsschuld des Deutschen Reiches und seiner Verbündeten begründet wurden. Als ungerecht galt auch, dass Österreich die Vereinigung mit Deutschland untersagt wurde. Nachdem mit dem Untergang der Habsburgermonarchie das Haupthindernis für die Verwirklichung der großdeutschen Lösung entfallen war, hatten sich die Revolutionsregierungen in Wien und **Berlin** für den sofortigen Zusammenschluss der beiden deutschsprachigen Republiken ausgesprochen. Der Popularität dieser Forderung konnten sie sich in beiden Ländern gewiss sein.

Die Anschlussverbote in den Friedensverträgen von Versailles und Saint-Germain vermochten das Wiedererstarken des großdeutschen Gedankens nicht zu verhindern. Er verband sich mit einer Renaissance der alten Reichsidee: Gerade weil Deutschland militärisch geschlagen war und an den Folgen der Niederlage litt, war es empfänglich für die Lockungen, die von einer verklärten Vergangenheit ausgingen. Das Heilige Römische Reich des Mittelalters war kein

**Berlin der „Goldenen Zwanziger"**
Die Phase wirtschaftlicher Aufwärtsentwicklung und politischer Beruhigung führte von 1924-1929 zu einer kurzen intensiven Blütezeit, die am ausgeprägtesten in der Reichshauptstadt Berlin zu spüren war. Die Metropole entwickelte sich zu einem der kulturellen und wissenschaftlichen Mittelpunkte Europas. Technischer Fortschritt und künstlerische Experimentierfreudigkeit in Architektur, Theater, Literatur und Film beflügelten das Lebensgefühl. Mit der Weltwirtschaftskrise von 1929 zeichnete sich das Ende der „Goldenen Zwanziger" und der Niedergang der Weimarer Republik ab.

# Deutsche Geschichte

Vom frühen Mittelalter über das Zeitalter der Glaubensspaltung und die Katastrophen des 20. Jahrhunderts
bis zur Wiedervereinigung: Etappen deutscher Geschichte

**962**
**Otto I., der Große**
Mit der Kaiserkrönung Ottos beginnt die
Geschichte des „Heiligen Römischen Reichs"

**1452-1454**
**Buchdruck**
Der Erfinder des Buchdrucks
mit beweglichen Lettern,
**Johannes Gutenberg** (um
1400-1468), druckt in Mainz erstmals die Bibel in einer Auflage
von etwa 180 Exemplaren

**1024-1125/1138-1268**
**Salier und Staufer**
Die Dynastien der Salier,
Erbauer des **Doms
zu Speyer**, und Staufer
prägen die Geschicke
Europas

| 800 | 900 | 1000 | 1100 | 1200 | 1300 |
|---|---|---|---|---|---|

| 8. Jh. | 9. Jh. | 10. Jh. | 11. Jh. | 12. Jh. | 13. Jh. | 14 |
|---|---|---|---|---|---|---|

**800**
**Karl der Große**
Der Herrscher des Fränkischen
Reiches wird von Papst Leo III.
zum Römischen Kaiser gekrönt.
Später wird der Karolinger,
der 814 in Aachen stirbt, zum
„Vater Europas" erklärt

**1179**
**Hildegard von Bingen**
Die Äbtissin und Heil-
kundige, eine der
bedeutendsten Frauen
des deutschen Mittelal-
ters, stirbt 81-jährig bei
Bingen am Rhein

### 1493
**Aufstieg des Hauses Habsburg**
Mit der Regentschaft **Maximilians I.** beginnt der Aufstieg des Hauses Habsburg. Es war jahrhundertelang eines der dominierenden Adelsgeschlechter in Mitteleuropa und stellte die meisten Kaiser und Könige des Heiligen Römischen Reiches Deutscher Nation und von 1504-1700 die Könige von Spanien

### 1803
**Säkularisierung**
Die Säkularisation geistlicher Herrschaften und Auflösung freier Reichstädte durch den Reichsdeputationshauptschluss leiten das Ende des „Heiligen Römischen Reichs Deutscher Nation" ein

### 1618-1648
**Dreißigjähriger Krieg**
Zugleich Religionskrieg und Staatenkonflikt, endet der Dreißigjährige Krieg mit dem Westfälischen Frieden: Die katholische, lutherische und reformierte Konfession werden als gleichberechtigt anerkannt

### 1848/49
**Märzrevolution**
Ihren Anfang nimmt die „Deutsche Revolution" im Großherzogtum Baden. In kurzer Zeit greift sie auf die übrigen Staaten des Deutschen Bundes über und führt zur ersten deutschen Nationalversammlung, die in der **Frankfurter Paulskirche** tagt

### 1740-1786
**Friedrich der Große**
Während der Regierungszeit Friedrichs II., Schöngeist und Feldherr, steigt Preußen zur europäischen Großmacht auf. Seine Herrschaft gilt als exemplarisch für das Zeitalter des „aufgeklärten Absolutismus"

| 1400 | 1500 | 1600 | 1700 | 1800 | 1900 |
|------|------|------|------|------|------|
| Jh. | **15. Jh.** | **16. Jh.** | **17. Jh.** | **18. Jh.** | **19. Jh.** | **20. Jh.** |

### 1517
**Glaubensspaltung**
Das Zeitalter der Reformation beginnt, als **Martin Luther** (1483-1546) in Wittenberg seine 95 Thesen gegen das Ablasswesen in der katholischen Kirche öffentlich macht

### 1871
**Reichsgründung**
Am 18. Januar wird noch während des Deutsch-Französischen Krieges **Wilhelm I.** in **Versailles** zum Deutschen Kaiser proklamiert. Das (zweite) Deutsche Reich ist eine konstitutionelle Monarchie. Kurz nach der Reichsgründung kam es zum Wirtschaftsaufschwung, den sogenannten Gründerjahren

# Deutsche Geschichte

**1948**
**Berlin-Blockade**
Die Einführung der D-Mark in den
westlichen Besatzungszonen nimmt die
Sowjetunion zum Anlass, am 24. Juni
1948 die Zufahrtswege nach West-Berlin
zu sperren. Die Alliierten antworten mit
einer „Luftbrücke", über die bis September 1949 die Bevölkerung in West-
Berlin versorgt wird

**1914–1918**
**Erster Weltkrieg**
Kaiser Wilhelm II. isoliert das
Land außenpolitisch und führt
es in die Katastrophe des
Ersten Weltkrieges, der fast
15 Millionen Menschen-
leben fordert. Im Juni 1919
wird der Friedensvertrag von
Versailles unterzeichnet

**1957**
**Römische Verträge**
Die Bundesrepublik
Deutschland gehört zu
den sechs Ländern, die in
Rom die Gründungsver-
träge der Europäischen
Wirtschaftsgemeinschaft
unterzeichnen

**1945**
**Ende des Zweiten
Weltkrieges**
Mit der Kapitulation
der deutschen Wehr-
macht am 7./9. Mai
1945 endet der Zweite
Weltkrieg in Europa.
Die Siegermächte tei-
len das Land in vier
Besatzungszonen und
Berlin in vier Sektoren

**1939**
**Beginn des Zweiten Weltkrieges**
Hitler entfesselt am 1. September 1939
mit dem Überfall auf Polen den Zweiten
Weltkrieg. Er kostet 60 Millionen Menschen das Leben und verwüstet weite
Teile Europas und Ostasiens. Der nationalsozialistischen Vernichtungspolitik
fallen sechs Millionen Juden zum Opfer

| 1910 | 1920 | 1930 | 1940 | 1950 |
|------|------|------|------|------|

**20. Jh.**

**1933**
**Nationalsozialismus**
Die NSDAP wird bei
den Reichstagswahlen
1932 stärkste Partei, am
30. Januar 1933 wird **Adolf
Hitler** Reichskanzler. Mit
dem „Ermächtigungs-
gesetz" beginnt die NS-
Diktatur

**1918/19**
**Weimarer Republik**
Am 9. November ruft der Sozialdemokrat **Philipp Scheidemann** die Republik aus; Kaiser Wilhelm II. dankt
ab. Am 19. Januar 1919 finden Wahlen zur Nationalversammlung statt

**1949**
**Gründung der Bundesrepublik Deutschland**
Am 23. Mai 1949 wird das Grundgesetz der Bundes-
republik Deutschland in Bonn verkündet. Am 14. August
finden die ersten Bundestagswahlen statt. **Konrad Adenauer**
(CDU) wird Bundeskanzler. Am 7. Oktober 1949 vollzieht
sich die Trennung zwischen Ost und West mit der
Inkraftsetzung der Verfassung der DDR

**1963**
**Elysée-Vertrag**
Der Deutsch-Französische Freundschaftsvertrag wird von Bundeskanzler **Konrad Adenauer** (rechts) und vom französischen Staatspräsidenten **Charles de Gaulle** unterzeichnet

**1970**
**Kniefall in Warschau**
Die Geste von Bundeskanzler **Willy Brandt** (SPD) am Mahnmal für die Opfer des jüdischen Gettoaufstands in Warschau wird Symbol für die Bitte Deutschlands um Versöhnung

**1990**
**Wiedervereinigung Deutschlands**
Am 3. Oktober endet die Existenz der DDR. Die staatliche Einheit Deutschlands ist wiederhergestellt. Am 2. Dezember 1990 findet die erste gesamtdeutsche Bundestagswahl statt, **Helmut Kohl** (CDU) wird erster Bundeskanzler des wiedervereinten Deutschlands

1970   1980   1990   2000   2010

**21. Jh.**

**1961**
**Mauerbau**
Die DDR schottet sich am 13. August 1961 mit dem Mauerbau mitten durch Berlin und einem „Todesstreifen" entlang der Grenze zwischen beiden deutschen Staaten ab

**1989**
**Mauerfall**
Die friedliche Revolution der DDR bringt in der Nacht des 9. November die Mauer in Berlin und damit die Grenze zwischen Ost- und Westdeutschland zu Fall

**2004/2007**
**EU-Erweiterung**
Nach dem Zerfall der Sowjetunion und dem Sturz des Kommunismus treten 2004 acht weitere Länder Mittel- und Osteuropas sowie Zypern und Malta der EU bei; 2007 folgen Bulgarien und Rumänien

**Nationalsozialismus**
Der Nationalsozialismus ist entstanden aus einer völkisch-antisemitischen, nationalistischen Bewegung, die sich von 1920 an in der Nationalsozialistischen Deutschen Arbeiterpartei (NSDAP) organisierte. Die Hauptmerkmale der nationalsozialistischen Ideologie sind Rassismus, insbesondere Antisemitismus und die Propagierung einer arischen Herrenrasse, Sozialdarwinismus mit der Rechtfertigung von Euthanasie und Eugenik, Totalitarismus und die Ablehnung von Demokratie, die „Ausrichtung des Volkes" im Sinne des Führerprinzips, Militarismus, Chauvinismus und die Ideologie einer biologisch begründeten „Volksgemeinschaft", der als „Lebensraumpolitik" verbrämte Imperialismus sowie die propagandistische Inszenierung zur Herstellung einer Massenbasis.

*Erinnerungskultur: Soldaten der Bundeswehr gedenken der Opfer der Hitlerdiktatur*

Nationalstaat, sondern ein übernationales Gebilde mit universalem Anspruch gewesen. Auf dieses Erbe beriefen sich nach 1918 vor allem Kräfte auf der politischen Rechten, die Deutschland eine neue Sendung zuschrieben: Es sollte in Europa als Ordnungsmacht im Kampf gegen westliche Demokratie und östlichen Bolschewismus voranschreiten.

Als parlamentarische Demokratie ist die Weimarer Demokratie nur elf Jahre alt geworden. Ende März 1930 zerbrach die letzte, von dem Sozialdemokraten Hermann Müller geführte Mehrheitsregierung an einem Streit um die Sanierung der Arbeitslosenversicherung. An die Stelle der bisherigen Großen Koalition trat ein bürgerliches Minderheitskabinett unter dem katholischen Zentrumspolitiker Heinrich Brüning, das seit dem Sommer 1930 mit Hilfe von Notverordnungen des Reichspräsidenten, des greisen Generalfeldmarschalls Paul von Hindenburg, regierte. Nachdem bei den Reichstagswahlen vom 14. September 1930 Adolf Hitlers **Nationalsozialisten** (NSDAP) zur zweitstärksten Partei aufgestiegen waren, ging die Sozialdemokratie (SPD), die immer noch stärkste Partei, dazu über, das Kabinett Brüning zu tolerieren. Auf diese Weise sollte ein weiterer Rechtsruck im Reich verhindert und die Demokratie im größten Einzelstaat, in Preußen, gewahrt werden, wo die SPD zusammen mit dem katholischen Zentrum, der Partei Brünings, und den bürgerlichen Demokraten regierte.

Der Reichstag hatte seit dem Übergang zum präsidialen Notverordnungssystem als Gesetzgebungsorgan weniger zu sagen als in der konstitutionellen Monarchie des Kaiserreichs. Die Entparlamentarisierung bedeutete eine weitgehende Ausschaltung der Wähler, und ebendies gab antiparlamentarischen Kräften von rechts und links Auftrieb. Am meisten profitierten davon die Nationalsozialisten. Seit die Sozialdemokraten Brüning stützten, konnte Hitler seine Bewegung als die einzige volkstümliche Alternative zu allen Spielarten des „Marxismus", der bolschewistischen wie der reformistischen, präsentieren. Er war nun in der Lage, an beides zu appellieren: an das verbreitete Ressentiment gegenüber der parlamentarischen Demokratie, die ja inzwischen tatsächlich gescheitert war, und an den seit Bismarcks Zeiten verbrieften Teilhabeanspruch des Volkes in Gestalt des allgemeinen gleichen Wahlrechts, das von den drei Präsidialregierungen – Brüning, Papen und Schleicher in den frühen dreißiger Jahren – um seine politische Wirkung gebracht wurde. Hitler wurde so zum Hauptnutznießer der ungleichzeitigen Demokratisierung Deutschlands: der frühen Einführung eines demokratischen Wahlrechts und der späten Parlamentarisierung des Regierungssystems.

## 1933–1945: Die Zeit des Nationalsozialismus

Hitler ist nicht im Gefolge eines großen Wahlsieges an die Macht gelangt, aber er wäre nicht Reichskanzler geworden, hätte er im Januar 1933 nicht an der Spitze der stärksten Partei gestanden. Bei den letzten Reichstagswahlen der Weimarer Republik, am 6. November 1932, hatten die Nationalsozialisten gegenüber der Wahl vom 31. Juli 1932 zwei Millionen Stimmen verloren, während die Kommunisten 600 000 Stimmen hinzugewannen und die magische Zahl von 100 Reichstagsmandaten erreichten. Der Erfolg der Kommunisten (KPD) schürte die Angst vor dem Bürgerkrieg, und diese Angst wurde zu Hitlers mächtigstem Verbündeten, vor allem bei den konservativen Machteliten. Ihrer Fürsprache bei Hindenburg verdankte er es, dass ihn der Reichspräsident am 30. Januar 1933 als Reichskanzler an die Spitze eines überwiegend konservativen Kabinetts berief.

Um sich während der zwölf Jahre des **Dritten Reiches** an der Macht zu behaupten, reichte Terror gegen alle Andersdenkenden nicht aus. Hitler gewann die Unterstützung großer Teile der Arbeiterschaft, weil er, vorwiegend mit Hilfe der Rüstungskonjunktur, die Massenarbeitslosigkeit binnen weniger Jahre beseitigen konnte. Er behielt diese Unterstützung auch während des Zweiten Weltkrieges, weil es ihm dank der rücksichtslosen Ausbeutung der Arbeitskräfte und Ressourcen der besetzten Gebiete möglich war, den Massen der Deutschen soziale Härten nach Art des Ersten Weltkrieges zu ersparen. Die großen außenpoliti-

**Drittes Reich**
Als sogenanntes „Drittes Reich" werden die zwölf Jahre nationalsozialistischer Herrschaft von 1933 bis 1945 bezeichnet. Sie begann mit der Ernennung Hitlers zum Reichskanzler am 30. Januar 1933 und endete mit der bedingungslosen Kapitulation der deutschen Wehrmacht am 7. Mai 1945. Das „Dritte Reich" ist Synonym für die hemmungslose Propaganda rassistischer und antisemitischer Ideologie, die Gleichschaltung politischer und gesellschaftlicher Organisationen, die ideologische Durchdringung des öffentlichen Lebens, den Terror gegen Juden und Andersdenkende, für euphorische Massenunterstützung und industrialisierte Massenmorde, Expansionsgelüste sowie die Anzettelung des Zweiten Weltkrieges.

*60 Jahre Kriegsende:*
*Als erster Bundeskanzler nahm*
*Gerhard Schröder (links) im*
*Mai 2005 an den Feierlich-*
*keiten zum Ende des Zweiten*
*Weltkriegs in Moskau teil*

**Holocaust**

Als Holocaust wird die systematische, bürokratisch durchorganisierte und industriell perfektionierte Ermordung von sechs Millionen europäischen Juden bezeichnet. Opfer wurden auch Sinti und Roma, Homosexuelle und andere von den Nazis als „unerwünscht" oder als „lebensunwert" erachtete Menschen. In einem unvorstellbaren Vernichtungsprogramm wurden die Menschen in Todesfabriken und Konzentrationslagern ausgebeutet, gequält, gedemütigt und ermordet. Dem Morden vorausgegangen waren die propagandistische Durchsetzung einer rassistischen und antisemitischen Ideologie, die fortschreitende Entrechtung der Juden, ihre Enteignung und Gettoisierung. An der Umsetzung des Holocaust wirkten direkt oder indirekt nicht nur sämtliche Staatsorgane mit, sondern auch die Eliten des Militärs, der Industrie, der Banken, der Wissenschaft und der Medizin.

schen Erfolge der Vorkriegsjahre, obenan die Besetzung des entmilitarisierten Rheinlandes im März 1936 und der „Anschluss" Österreichs im März 1938, ließen Hitlers Popularität in allen Bevölkerungsschichten auf Rekordhöhen ansteigen. Der Mythos vom Reich und seiner historischen Sendung, dessen sich Hitler virtuos zu bedienen wusste, wirkte vor allem bei den gebildeten Deutschen. Der charismatische „Führer" brauchte ihre Mithilfe, wenn er Deutschland dauerhaft zur europäischen Ordnungsmacht machen wollte, und sie brauchten ihn, weil niemand außer ihm in der Lage schien, den Traum vom großen Reich der Deutschen Wirklichkeit werden zu lassen.

Seine Judenfeindschaft hatte Hitler in den Wahlkämpfen der frühen dreißiger Jahre nicht verleugnet, aber auch nicht in den Vordergrund gerückt. In der heftig umworbenen Arbeiterschaft wären mit entsprechenden Parolen auch nicht viele Stimmen zu gewinnen gewesen. In den gebildeten und besitzenden Schichten, bei kleinen Gewerbetreibenden und Bauern waren antijüdische Vorurteile weit verbreitet, ein „Radau-Antisemitismus" jedoch verpönt. Die Entrechtung der deutschen Juden durch die Nürnberger Rassengesetze vom September 1935 stieß, weil die Gesetzesform gewahrt blieb, auf keinen Widerspruch. Die gewaltsamen Ausschreitungen der sogenannten „Reichskristallnacht" vom 9. November 1938 waren unpopulär, die

„Arisierung" von jüdischem Eigentum, eine gewaltige, bis heute nachwirkende Umverteilung von Vermögen, hingegen durchaus nicht. Über den **Holocaust**, die systematische Vernichtung der europäischen Juden im Zweiten Weltkrieg, wurde mehr bekannt, als dem Regime lieb war. Aber zum Wissen gehört auch das Wissenwollen, und daran fehlte es, was das Schicksal der Juden betrifft, im Deutschland des „Dritten Reiches".

Der Untergang von Hitlers Großdeutschem Reich im Mai 1945 bedeutet in der deutschen Geschichte eine viel tiefere Zäsur als der Untergang des Kaiserreiches im November 1918. Das Reich als solches blieb nach dem Ersten Weltkrieg erhalten. Nach der bedingungslosen Kapitulation am Ende des **Zweiten Weltkriegs** ging mit der Regierungsgewalt auch die Entscheidung über die Zukunft Deutschlands an die vier Besatzungsmächte, die Vereinigten Staaten, die Sowjetunion, Großbritannien und Frankreich, über. Anders als 1918 wurde 1945 die politische und militärische Führung entmachtet und, soweit ihre Vertreter noch lebten, vor Gericht, das Internationale Militärtribunal in Nürnberg (Nürnberger Prozesse), gestellt. Die ostelbischen Rittergutsbesitzer, die mehr als jede andere Machtelite zur Zerstörung der Weimarer Republik und zur Machtübertragung an Hitler beigetragen hatten, verloren Grund und Boden – zum einen durch die Abtrennung der Ostgebiete jenseits von Oder und Görlitzer Neiße und ihre Unterstellung unter polnische beziehungsweise, im Falle des nördlichen Ostpreußen, sowjetische Verwaltung, zum anderen durch die „Bodenreform" in der Sowjetischen Besatzungszone.

Kriegsunschuld- und Dolchstoßlegenden fanden nach 1945, im Gegensatz zur Zeit nach 1918, kaum Widerhall. Zu offenkundig war, dass das nationalsozialistische Deutschland den Zweiten Weltkrieg entfesselt hatte und nur von außen, durch die überlegene Macht der Alliierten, niedergeworfen werden konnte. Im Ersten wie im Zweiten Weltkrieg hatte die deutsche Propaganda die demokratischen Westmächte als imperialistische Plutokratien, die eigene Ordnung aber als Ausdruck höchster sozialer Gerech-

**Zweiter Weltkrieg**
Am 1. September 1939 um 4.45 Uhr überfiel Hitler ohne Kriegserklärung das Nachbarland Polen. Großbritannien und Frankreich erklärten daraufhin Deutschland den Krieg. Der Zweite Weltkrieg hatte begonnen und sollte 60 Millionen Menschen das Leben kosten. Die meisten Opfer – etwa 25 Millionen Tote – hatte die Sowjetunion zu beklagen. Das Scheitern der Blitzkriegsstrategie vor Moskau und der Kriegseintritt der USA brachten das Ende der gnadenlosen Expansionspolitik Deutschlands und seiner Verbündeten. Am 7. Mai 1945 ließ Hitlers Nachfolger Karl Dönitz im alliierten Hauptquartier in Reims (Frankreich) die bedingungslose deutsche Gesamtkapitulation durch den Chef des Wehrmachtführungsstabes, Generaloberst Alfred Jodl, unterzeichnen.

*Nürnberger Prozesse: Die Verfahren gegen die NS-Kriegsverbrecher begannen im November 1945*

**Grundgesetz**
Das Grundgesetz ist die rechtliche und politische Grundordnung der Bundesrepublik Deutschland. Ursprünglich war es bis zur Schaffung einer gesamtdeutschen Verfassung als Übergangslösung und Provisorium gedacht. Mit dem Beitritt der DDR zum Geltungsbereich des Grundgesetzes am 3. Oktober 1990 wurde es zur gesamtdeutschen Verfassung. Das Grundgesetz steht für die demokratische Erfolgsgeschichte Deutschlands nach der Herrschaft des Nationalsozialismus und gilt als Glücksfall der deutschen Geschichte.

**DDR**
Die Deutsche Demokratische Republik wurde 1949 in der sowjetischen Besatzungszone Deutschlands und dem Ostsektor Berlins gegründet und bestand bis zum 2. Oktober 1990. Sie war Teil des unter der Hegemonie der Sowjetunion stehenden Ostblocks. Beim Volksaufstand von 1953 kam es landesweit zu Demonstrationen, die mit Hilfe der DDR-Volkspolizei vom sowjetischen Militär gewaltsam niedergeschlagen wurden.

*17. Juni 1953: In über 400 Orten wurde gegen die DDR-Führung demonstriert*

tigkeit dargestellt. Nach 1945 wären neuerliche Angriffe auf die westliche Demokratie aberwitzig gewesen: Der Preis, den man für die Verachtung der politischen Ideen des Westens bezahlt hatte, war zu hoch, als dass ein Rückgriff auf die Parolen der Vergangenheit Erfolg versprochen hätte.

## 1949–1990: Die „Zweistaatlichkeit" Deutschlands

Eine zweite Chance in Sachen Demokratie erhielt nach 1945 nur ein Teil Deutschlands: der westliche. Vertreter der frei gewählten Länderparlamente der amerikanischen, der britischen und der französischen Besatzungszone arbeiteten 1948/49 im Parlamentarischen Rat in Bonn eine Verfassung aus, die systematische Konsequenzen aus den Konstruktionsfehlern der Reichsverfassung von 1919 und dem Scheitern der Weimarer Republik zog: das **Grundgesetz** für die Bundesrepublik Deutschland. Die zweite deutsche Demokratie sollte eine funktionstüchtige parlamentarische Demokratie mit einem starken, nur durch ein „konstruktives Misstrauensvotum", also die Wahl eines Nachfolgers, stürzbaren Bundeskanzler und einen kompetenzarmen Bundespräsidenten sein. Eine konkurrierende Gesetzgebung durch das Volk war, anders als in Weimar, nicht vorgesehen. Offenen Gegnern der Demokratie sagte das Grundgesetz vorsorglich einen Kampf bis hin zur Verwirkung der Grundrechte und zum Verbot verfassungsfeindlicher Parteien durch das Bundesverfassungsgericht an. Die Grundlagen des Staates wurden so festgeschrieben, dass sie dem Willen auch einer verfassungsändernden Mehrheit entzogen waren, eine „legale" Beseitigung der Demokratie wie 1933 also unmöglich war.

Während der Westen Deutschlands „antitotalitäre" Lehren aus der jüngsten deutschen Vergangenheit zog, musste sich der Osten, die Sowjetische Besatzungszone und spätere **DDR**, mit „antifaschistischen" Folgerungen begnügen. Sie dienten der Legitimierung einer Parteidiktatur marxistisch-leninistischer Prägung. Der Bruch mit den Grundlagen der nationalsozialistischen Herrschaft sollte vor allem

auf klassenpolitischem Weg, durch Enteignung von Groß-
grundbesitzern und Industriellen, vollzogen werden. Einsti-
ge „Mitläufer" des Nationalsozialismus konnten sich dagegen beim „Aufbau des Sozialismus" bewähren. Frühere „Par-
teigenossen" der NSDAP, die nach Abschluss der „Entnazifi-
zierung" in führende Positionen gelangten, gab es auch in
der DDR. Ihre Zahl war jedoch geringer und ihre Fälle waren
weniger spektakulär als in der Bundesrepublik.

Von einer „Erfolgsgeschichte der Bundesrepublik"
würde man rückblickend wohl kaum sprechen können,
wenn es nicht das **„Wirtschaftswunder"** der fünfziger und
sechziger Jahre, die längste Boomperiode des 20. Jahrhunderts, gegeben hätte. Die Hochkonjunktur verschaffte der
von Ludwig Erhard, dem ersten Bundeswirtschaftsminister,
durchgesetzten Sozialen Marktwirtschaft die Legitimation
durch Erfolg. Sie erlaubte die rasche Eingliederung der fast
acht Millionen Heimatvertriebenen aus den früheren Ostge-
bieten des Deutschen Reiches, dem Sudetengebiet und anderen Teilen Ostmittel- und Südosteuropas. Sie trug entscheidend dazu bei, dass Klassen- und Konfessionsgegensätze
abgeschliffen wurden, dass die Anziehungskraft radikaler
Parteien beschränkt blieb und die großen demokratischen
Parteien, erst die Christlich Demokratische (CDU) und die
Christlich Soziale Union (CSU), dann die Sozialdemokratie
(SPD), sich in Volksparteien verwandelten. Die Prosperität
hatte freilich auch ihre politische und moralische Kehrseite:
Sie erleichterte es vielen Bundesbürgern, sich bohrende Fragen nach der eigenen Rolle in den Jahren 1933 bis 1945
weder selbst zu stellen noch von anderen stellen zu lassen.
„Kommunikatives Beschweigen" hat der Philosoph Hermann Lübbe diesen Umgang mit der jüngsten Vergangenheit genannt (und als für die Stabilisierung der westdeutschen Demokratie notwendig bewertet).

In der Weimarer Republik war die Rechte nationa-
listisch und die Linke internationalistisch gewesen. In der
Bundesrepublik war es anders: Die Kräfte der rechten Mitte
unter dem ersten Bundeskanzler **Konrad Adenauer** standen für
eine Politik der Westbindung und der supranationalen Inte-

*Symbol auf Rädern: Der VW-
Käfer stand für den Aufschwung
der fünfziger Jahre*

**Wirtschaftswunder**
Mit dem Begriff „Wirtschaftswunder" wird der schnelle wirtschaftliche Wiederaufbau der
Bundesrepublik Deutschland
nach dem Zweiten Weltkrieg
bezeichnet. Die Voraussetzungen
dafür waren der Neuaufbau der
Produktionsstätten nach neues-
tem technischen Stand, die Einführung der D-Mark sowie die
massive finanzielle Unterstützung durch den „Marshall-Plan"
der US-Amerikaner. Bis zum Ende
der fünfziger Jahre entwickelte
sich Deutschland zu einer der
führenden Wirtschaftsnationen.

**Konrad Adenauer (1876–1967)**
Der Christdemokrat war der
erste Bundeskanzler der Bundesrepublik Deutschland. Von 1949
bis 1963 war er Regierungschef.
Mit einer konsequenten Politik
der Westorientierung ermöglich-
te er die Integration Deutschlands in die internationale Staatengemeinschaft, die NATO
und die Europäische Wirtschaftsgemeinschaft (EWG). Zu seinen
Leistungen gehören auch die
Aussöhnung mit Frankreich und
seine Bemühungen um eine
Versöhnung mit Israel.

**Willy Brandt (1913–1992)**
Der Sozialdemokrat war von 1969 bis 1974 Bundeskanzler der Bundesrepublik Deutschland. Für seine Ostpolitik, die auf Entspannung und Ausgleich mit den osteuropäischen Staaten gerichtet war („Politik der kleinen Schritte"), erhielt Brandt 1971 den Friedensnobelpreis. Seine Entspannungspolitik war ein Beitrag zum Zustandekommen der Konferenz über Sicherheit und Zusammenarbeit in Europa (KSZE).

gration Westeuropas; die gemäßigte Linke, die Sozialdemokratie unter ihrem ersten Nachkriegsvorsitzenden Kurt Schumacher und seinem Nachfolger Erich Ollenhauer, gab sich ein betont nationales Profil, indem sie der Wiedervereinigung den Vorrang vor der Westintegration zuerkannte. Erst im Jahre 1960 stellte sich die SPD auf den Boden der Westverträge, die 1955 den Beitritt der Bundesrepublik zur NATO ermöglicht hatten. Die Sozialdemokraten mussten diesen Schritt tun, wenn sie Regierungsverantwortung in der Bundesrepublik übernehmen wollten. Nur auf dem Boden der Westverträge konnten sie 1966 als Juniorpartner in eine Regierung der Großen Koalition eintreten und drei Jahre später unter dem ersten sozialdemokratischen Bundeskanzler **Willy Brandt** jene „neue Ostpolitik" beginnen, die es der Bundesrepublik erlaubte, einen eigenen Beitrag zur Entspannung zwischen West und Ost zu leisten, das Verhältnis zu Polen durch eine (wenn auch de jure nicht vorbehaltlose) Anerkennung der Oder-Neiße-Grenze auf eine neue Grundlage zu stellen und ein vertraglich geregeltes Verhältnis zur DDR einzugehen. Auch das 1971 abgeschlossene Vier-Mächte-Abkommen über Berlin, das tatsächlich nur West-Berlin und sein Verhältnis zur Bundesrepublik betraf, wäre ohne die feste Westintegration des größeren der beiden deutschen Staaten unmöglich gewesen.

Die Ostverträge (1970–1973) der sozial-liberalen Regierung Brandt-Scheel waren vor allem eines: eine Antwort auf die Verfestigung der deutschen Teilung durch den Bau der Berliner Mauer am 13. August 1961. Nachdem die Wiedervereinigung in immer weitere Ferne gerückt war, musste es der Bundesrepublik darauf ankommen, die Folgen der Teilung erträglicher zu gestalten und dadurch den Zusammenhalt der Nation zu sichern. Die Wiederherstellung der deutschen Einheit blieb ein offizielles Staatsziel der Bundesrepublik Deutschland. Aber die Erwartung, dass es jemals wieder einen deutschen Nationalstaat geben würde, ging nach Abschluss der Ostverträge kontinuierlich zurück – bei den jüngeren Westdeutschen sehr viel stärker als bei den älteren.

*Träger des Friedensnobelpreises 1971: Willy Brandt*

In den achtziger Jahren aber geriet die Nachkriegsordnung allmählich ins Wanken. Die Krise des Ostblocks begann 1980 mit der Gründung der unabhängigen Gewerkschaft „Solidarnosc" in Polen, gefolgt von der Verhängung des Kriegsrechts Ende 1981. Dreieinhalb Jahre später, im März 1985, kam in der Sowjetunion Michail Gorbatschow an die Macht. Der neue Generalsekretär der Kommunistischen Partei der Sowjetunion sprach im Januar 1987 die geradezu revolutionäre Erkenntnis aus: „Wir brauchen die Demokratie wie die Luft zum Atmen." Diese Botschaft beflügelte die Bürgerrechtler in Polen und Ungarn, in der Tschechoslowakei und in der DDR. Im Herbst 1989 wurde der Druck der Proteste im ostdeutschen Staat so stark, dass das kommunistische Regime allenfalls noch durch eine militärische Intervention der Sowjetunion zu retten gewesen wäre. Dazu aber war Gorbatschow nicht bereit. Die Folge war die Kapitulation der Ost-Berliner Parteiführung vor der **friedlichen Revolution** in der DDR: Am 9. November 1989 fiel die Berliner Mauer – ein Symbol der Unfreiheit, wie es 1789, zwei Jahrhunderte zuvor, die Pariser Bastille gewesen war.

**Friedliche Revolution**
Mit einer spontanen und gewaltfreien Revolution von unten eroberten sich die Bürger der DDR im Herbst 1989 innerhalb von wenigen Wochen die Macht. Am 9. November 1989 fiel die Berliner Mauer, Wahrzeichen der Teilung Deutschlands und Symbol des Kalten Krieges. Vorausgegangen war dem Mauerfall die Massenflucht von DDR-Bürgern, die über Prag, Warschau und die mittlerweile offene ungarische Grenze zu Österreich ihr Land verließen, sowie Großdemonstrationen, insbesondere in Leipzig, öffentliche Proteste von Prominenten und Bürgerrechtlern und die zunehmenden Forderungen nach Reisefreiheit.

## 1990: Die Wiedervereinigung

Nach der Öffnung der Mauer 1989 vergingen noch elf Monate bis zur Wiedervereinigung Deutschlands. Sie entsprach dem Willen der Deutschen in beiden deutschen Staaten. In der ersten (und letzten) freien Volkskammerwahl am 18.

**Zwei-plus-Vier-Vertrag**
Die Bezeichnung steht für die „abschließende Regelung im Bezug auf Deutschland" vom 12. September 1990, die zur außenpolitischen Absicherung der deutschen Einheit zwischen den beiden deutschen Staaten und den vier Siegermächten des Zweiten Weltkriegs (Frankreich, Großbritannien, Sowjetunion, USA) in Moskau geschlossen wurde. Durch den Vertrag wurde die volle Souveränität Deutschlands wieder hergestellt. Die deutschen Außengrenzen wurden unter Verzicht auf deutsche Gebietsansprüche als endgültig anerkannt.

*Große Sammlung: Das Deutsche Historische Museum, Berlin, besitzt rund 700 000 Objekte zur deutschen Geschichte*

März 1990 stimmten die Ostdeutschen mit großer Mehrheit für die Parteien, die einen raschen Beitritt der DDR zur Bundesrepublik forderten. Dieser wurde im Sommer 1990, wie zuvor schon die deutsch-deutsche Währungsunion, zwischen beiden deutschen Staaten vertraglich ausgehandelt. Parallel dazu verständigten sich die Bundesrepublik und die DDR mit den vier Mächten, die Verantwortung für Berlin und Deutschland als Ganzes trugen, also den Vereinigten Staaten, der Sowjetunion, Großbritannien und Frankreich, im **Zwei-plus-Vier-Vertrag** über die außen- und sicherheitspolitischen Bedingungen der deutschen Einheit.

Die deutsche Frage wurde 1990 gelöst im Sinne der alten Forderung „Einheit in Freiheit". Sie konnte nur im Einvernehmen mit allen Nachbarn gelöst werden, und das heißt auch: nur zeitgleich mit der Lösung eines anderen Jahrhundertproblems, der polnischen Frage. Die endgültige, völkerrechtlich verbindliche Anerkennung der polnischen Westgrenze an Oder und Neiße war eine Voraussetzung der Wiedervereinigung Deutschlands in den Grenzen von 1945.

Das wiedervereinigte Deutschland ist seinem Selbstverständnis nach keine „postnationale Demokratie unter Nationalstaaten", wie 1976 der Politikwissenschaftler Karl Dietrich Bracher die „alte" Bundesrepublik genannt hatte, sondern ein postklassischer demokratischer Nationalstaat unter anderen – fest eingebunden in den supranationalen Staatenverbund der Europäischen Union (EU), in dem Teile

 **Das Thema im Internet**

**www.dhm.de**
Das Deutsche Historische Museum in Berlin gibt Einblicke in die Geschichte (Deutsch, Englisch). Interessant auch das „Lebendige Museum Online" www.dhm.de/lemo (Deutsch)

**www.hdg.de**
Das Haus der Geschichte der Bundesrepublik Deutschland informiert über

Zeitgeschichte, auch in virtuellen Ausstellungen (Deutsch, Englisch, Französisch)

**www.wege-der-erinnerung.de**
Gemeinsames europäisches Webprojekt zu den Kriegen und Konflikten in der ersten Hälfte des 20. Jahrhunderts (Deutsch, Englisch, Französisch, Italienisch, Niederländisch, Spanisch)

**www.holocaust-mahnmal.de**
Die Gedenkstätte für die ermordeten Juden Europas im Netz (Deutsch, Englisch)

**www.historikerverband.de**
Die Seite des Verbands der Historiker und Historikerinnen Deutschlands, des größten historischen Fachverbandes in Europa (Deutsch)

der nationalen Souveränität gemeinsam mit anderen Mitgliedstaaten ausgeübt werden. Von dem ersten deutschen Nationalstaat trennt den zweiten vieles – nämlich alles, was das Bismarckreich zu einem Militär- und Obrigkeitsstaat gemacht hat. Doch es gibt auch Kontinuitäten zwischen dem ersten und dem zweiten Nationalstaat. Als Rechts- und Verfassungsstaat, als Bundes- und Sozialstaat steht das wiedervereinigte Deutschland in Traditionen, die weit ins 19. Jahrhundert zurückreichen. Dasselbe gilt vom allgemeinen gleichen Wahlrecht und der Parlamentskultur, die sich schon im Reichstag des Kaiserreichs entwickelt hatte. Unübersehbar ist auch eine räumliche Kontinuität: Der Zwei-plus-Vier-Vertrag, die völkerrechtliche Gründungsurkunde des wiedervereinigten Deutschland, hat die kleindeutsche Lösung, die getrennte Staatlichkeit für Deutschland und Österreich, nochmals festgeschrieben.

Die deutsche Frage ist seit 1990 gelöst, aber die europäische Frage ist nach wie vor offen. Seit den Erweiterungen von 2004 und 2007 umfasst die EU zwölf weitere Staaten, von denen zehn bis zur Epochenwende von 1989/91 kommunistisch regiert wurden. Es sind allesamt Staaten, die zum alten Okzident gehören – geprägt durch eine weithin gemeinsame Rechtstradition, durch die frühe Trennung von geistlicher und weltlicher wie von fürstlicher und ständischer Gewalt, aber auch durch die Erfahrung der mörderischen Folgen von religiöser und nationaler Verfeindung und Rassenhass. Das Zusammenwachsen der getrennten Teile Europas erfordert Zeit. Es wird nur gelingen, wenn die Vertiefung der europäischen Einigung mit der Erweiterung der Union Schritt hält. Vertiefung verlangt mehr als institutionelle Reformen. Sie macht gemeinsames Nachdenken über die europäische Geschichte und die Folgerungen notwendig, die sich aus ihr ergeben. Die Folgerung, die alle anderen überragt, ist die Einsicht in die Allgemeinverbindlichkeit der westlichen Werte, an ihrer Spitze der unveräußerlichen Menschenrechte. Es sind die Werte, die Europa und Amerika gemeinsam hervorgebracht haben, zu denen sie sich bekennen und an denen sie sich jederzeit messen lassen müssen. ●

**Heinrich August Winkler**
Der Historiker, bis zu seiner Emeritierung 2007 Professor an der Humboldt-Universität Berlin, ist einer der führenden deutschen Geschichtswissenschaftler. Mit seinem Werk „Der lange Weg nach Westen" hat er sich internationales Renommee erworben.

Tatsachen über Deutschland

# 4

# Politisches System

Es wurde ein Erfolgsmodell und ein Exportschlager: Das Grundgesetz brachte nach dem Zweiten Weltkrieg Freiheit und Stabilität – wenn auch zunächst nur für die Deutschen im Westen des bis 1990 geteilten Landes.

Der Vorrang der Grundrechte, die Festschreibung der Prinzipien des demokratischen und sozialen Bundesstaats sowie die Etablierung eines höchsten Gerichts, das über die Einhaltung der Verfassung wacht, sind die Grundpfeiler der deutschen Demokratie.

Symbol für offene
Einblicke: Die Kuppel
über dem Reichstags-
gebäude

# Staat, Recht, Bürger in der Demokratie

*Von Jürgen Hartmann*

DAS POLITISCHE SYSTEM DER Bundesrepublik Deutschland verkörpert das zweite demokratische System in der deutschen Geschichte. Im **Parlamentarischen Rat** zogen die Gründungsmütter und -väter der Bundesrepublik in ihrer neuen Verfassung, dem Grundgesetz, die Lehren aus dem Scheitern der ersten Demokratie, der Weimarer Republik, und der nationalsozialistischen Diktatur. Die Bundesrepublik Deutschland war ein Kind des Krieges. Und die Demokratie sollte 1949 zunächst nur im westlichen Teil des in zwei Staaten gespaltenen Deutschlands Fuß fassen. Doch das zunächst als Provisorium konzipierte Grundgesetz hielt am Ziel der Wiedervereinigung „in freier Selbstbestimmung" fest.

  Die zweite deutsche Demokratie erwies sich als Erfolg. Für diesen Erfolg gab es viele Gründe: Die Wertschätzung der freiheitlichen Lebensweise nach der Diktatur und das Streben nach Akzeptanz durch die demokratischen Nachbarn gehörten dazu. Aber auch das Grundgesetz hat seinen Anteil an diesem Erfolg. Als die Teilung Deutschlands nach über 40 Jahren zu Ende ging, wurde das Grundgesetz 1990 zur Verfassung des vereinigten Deutschlands.

## Das Grundgesetz

Das **Grundgesetz** bindet die Gesetzgebung an die verfassungsmäßige Ordnung und die Staatsverwaltung an Recht und Gesetz. Besondere Bedeutung besitzt der Artikel 1 des Grundgesetzes. Er postuliert als höchstes Gut der Verfassungsordnung die Respektierung der Menschenwürde: „Die Würde des Menschen ist unantastbar. Sie zu achten und zu schützen ist Verpflichtung aller staatlichen Gewalt." Die wei-

**Parlamentarischer Rat**
Die verfassungsberatende Versammlung tagte erstmals am 1. September 1948. Sie bestand aus 65 von den elf westdeutschen Landtagen gewählten Abgeordneten. Zuvor hatte ein Ausschuss aus Sachverständigen auf der Insel Herrenchiemsee in Bayern die Diskussionsgrundlage für die Beratungen geschaffen.

**Grundgesetz**
Nach seiner Verabschiedung durch den Parlamentarischen Rat trat das Grundgesetz am 23. Mai 1949 in Kraft. Es ist die rechtliche und politische Grundordnung der Bundesrepublik Deutschland. Besondere Bedeutung haben die im Grundgesetz verankerten Grundrechte.

*Das Bundeswappen:
Schwarzer Adler,
rot bewehrt auf
goldgelbem Grund*

**Bundesstaat**

Die Bundesrepublik
Deutschland besteht aus
16 Bundesländern. Die
Staatsgewalt ist zwischen dem
Gesamtstaat, dem Bund,
und den Bundesländern aufgeteilt. Diese verfügen über
eigenständige, wenn auch be-
schränkte Staatsgewalt.

**Sozialstaat**

Der Sozialstaat kann in Deutschland auf eine lange Tradition
zurückblicken. 1883 wurden die
Gesetze zur Krankenversicherung, 1884 zur Unfallversicherung, 1889 zur Invaliditäts- und
Altersversicherung erlassen.
Während damals nur ein Zehntel
der Bevölkerung durch diese Versicherungen geschützt war, sind
es heute rund 90 Prozent.

teren Grundrechte garantieren unter anderem die
Freiheit des Handelns im Rahmen der Gesetze, die
Gleichheit der Menschen vor dem Gesetz, die Presse-
und Medienfreiheit, die Vereinigungsfreiheit sowie den
Schutz der Familie.

Mit der Feststellung, dass das Volk die Herrschaft durch
besondere Organe ausübt, schreibt das Grundgesetz die
Herrschaftsform der repräsentativen Demokratie fest. Da-
rüber hinaus bestimmt es Deutschland als Rechtsstaat: Alles
Handeln staatlicher Behörden unterliegt der richterlichen
Kontrolle. Ein weiteres Verfassungsprinzip ist der **Bundesstaat**, das heißt die Aufteilung der Herrschaftsgewalt auf
eine Reihe von Gliedstaaten und auf den Zentralstaat.
Schließlich definiert das Grundgesetz Deutschland als einen
Sozialstaat. Der **Sozialstaat** verlangt, dass die Politik Vorkeh-
rungen trifft, um den Menschen auch bei Erwerbslosigkeit,
Behinderung, Krankheit und im Alter ein menschenwür-
diges materielles Auskommen zu gewährleisten. Eine Besonderheit des Grundgesetzes ist der so genannte „Ewig-
keitscharakter" dieser tragenden Verfassungsgrundsätze.
Die Grundrechte, die demokratische Herrschaftsform, der
Bundesstaat und der Sozialstaat dürfen auch durch spätere
Änderungen des Grundgesetzes oder durch eine komplett
neue Verfassung nicht angetastet werden.

### Im Deutschen Bundestag vertretene Parteien

**SPD**
Sozialdemokratische Partei
Deutschlands
Vorsitz: **Kurt Beck**
Gründung: 1863/1875
Mitglieder: 550 000

**CDU**
Christlich
Demokratische Union
Deutschlands
Vorsitz: **Dr. Angela Merkel**
Gründung: 1945
1950 auf Bundesebene
Mitglieder: 544 000

**CSU**
Christlich-Soziale
Union in Bayern
Vorsitz: **Erwin Huber**
Gründung: 1945
Mitglieder: 168 000

**FDP**
Freie Demokratische
Partei
Vorsitz: **Dr. Guido
Westerwelle**
Gründung: 1948
Mitglieder: 65 000

## Die politischen Parteien

Die politischen Parteien haben nach dem Grundgesetz die Aufgabe, an der politischen Willensbildung des Volkes mitzuwirken. Die Aufstellung von Kandidaten für politische Funktionen und die Organisation von Wahlkämpfen gewinnen dadurch den Rang einer Verfassungsaufgabe. Aus diesem Grunde erhalten die Parteien vom Staat einen Ausgleich für die im Wahlkampf entstehenden Kosten. Die in Deutschland erstmals praktizierte **Wahlkampfkostenerstattung** ist heute in den meisten Demokratien gebräuchlich. Der Aufbau der politischen Parteien muss nach dem Grundgesetz demokratischen Grundsätzen folgen (Mitgliederdemokratie). Es wird von ihnen erwartet, dass sie sich zum demokratischen Staat bekennen.

Parteien, deren demokratische Gesinnung in Zweifel steht, können auf Antrag der Bundesregierung verboten werden. Sie müssen aber nicht verboten werden. Hält die Bundesregierung ein Verbot für angebracht, weil solche Parteien eine Gefahr für das demokratische System darstellen, so kann sie lediglich einen Verbotsantrag stellen. Das Verbot selbst darf ausschließlich vom Bundesverfassungsgericht ausgesprochen werden. So wird verhindert, dass die regierenden Parteien eine Partei verbieten, die ihnen im politi-

**Wahlkampfkostenerstattung**
Sie ist Teil der Parteienfinanzierung, die aus Beiträgen der Parteimitglieder, Einnahmen aus Parteivermögen, aus Spenden und staatlichen Zuschüssen besteht. Die Parteien erhalten eine staatliche Wahlkampfkostenpauschale, die sich bemisst an der Zahl ihrer Wählerstimmen und am Umfang der erhaltenen Beiträge und Spenden.

**Die Grünen**
Bündnis 90/Die Grünen
Vorsitz: **Claudia Roth, Reinhard Bütikofer**
Gründung: 1980
Mitglieder: 45 000

**Die Linke**
Vorsitz: **Prof. Dr. Lothar Bisky, Oskar Lafontaine**
Gründung: 1989
Mitglieder: 69 000

Im Bundestag vertretene Parteien: **SPD** und **CDU/CSU** sowie **FDP** sind seit Gründung der Bundesrepublik 1949 im Parlament vertreten. CDU und CSU bilden im Bundestag eine Fraktionsgemeinschaft. Die CSU tritt bei Wahlen in Bayern an, die CDU in allen anderen Ländern. 1984 zogen erstmals **Die Grünen** in den Bundestag ein; nach der deutschen Einheit schlossen sie sich mit dem ostdeutschen Bündnis 90 zusammen. 1990 gelang auch der Nachfolgepartei der Sozialistischen Einheitspartei, SED, der DDR unter dem Namen Partei des Demokratischen Sozialismus (PDS) der Einzug in den Bundestag. Die PDS benannte sich 2005 um in die Linkspartei.PDS. Im Jahr 2007 schloss sie sich mit der Wahlalternative Arbeit & Soziale Gerechtigkeit zur Partei **Die Linke** zusammen.

**Wahlen**
Alle vier Jahre stellen sich die Parteien zur Bundestagswahl. Die Wahlbeteiligung ist in Deutschland traditionell hoch und liegt – nach einer Hochphase mit über 90 Prozent in den siebziger Jahren – seit der Wiedervereinigung bei um die 80 Prozent. Bei der Wahl zum 16. Deutschen Bundestag am 18. September 2005 beteiligten sich 77,7 Prozent der Wahlberechtigten.

schen Wettbewerb unbequem werden könnte. Die Regierungsparteien ziehen es vor, undemokratische Parteien im regulären politischen Wettbewerb zu bekämpfen. In der Geschichte der Bundesrepublik hat es wenige Verbotsverfahren und noch weniger Parteienverbote gegeben. Das Grundgesetz privilegiert zwar die politischen Parteien. Die Parteien bleiben aber im Kern Ausdrucksformen der Gesellschaft. Sie tragen alle Risiken des Scheiterns bei **Wahlen**, bei der Abwanderung von Mitgliedern und bei der Zerstrittenheit in Personal- und Sachfragen.

Das deutsche Parteiensystem ist überschaubar. Im Bundestag vertreten waren bis 1983 ausschließlich Parteien, die auch schon 1949 mit der ersten Wahl ins Parlament eingezogen waren: die Unionsparteien, die SPD und die FDP. Die Unionsparteien, die zur europäischen Parteienfamilie der christlichen Demokraten gehören, treten überall in Deutschland – mit Ausnahme Bayerns – als Christlich Demokratische Union (CDU) auf. Im Bundesland Bayern verzichtet die CDU

---

### ⓘ Die deutsche Bundesregierung

Am 22. November 2005 hat der Deutsche Bundestag Dr. Angela Merkel (CDU) zur Bundeskanzlerin der Bundesrepublik Deutschland gewählt. Sie führt eine Große Koalition aus CDU/CSU und SPD. Angela Merkel ist die erste Frau an der Spitze einer deutschen Bundesregierung. Der Regierung gehören fünf Frauen und zehn Männer als Bundesminister an. CDU und CSU stellen als Fraktionsgemein-

schaft sechs Minister sowie den Chef des Bundeskanzleramtes. Die SPD ist für acht Ressorts verantwortlich, darunter das Auswärtige Amt, an dessen Spitze Bundesaußenminister und Vizekanzler Dr. Frank-Walter Steinmeier (SPD) steht.

Zur Halbzeit der Legislaturperiode zog das Kabinett eine positive Bilanz: Ein stetig wachsendes Bruttoinlandsprodukt und steigende Beschäftigungszahlen bestätigen die bisherige Wirtschafts- und Reformpolitik. Wichtige Akzente konnten während der EU-Ratspräsidentschaft und der G8-Präsidentschaft 2007 in der Außen- und Sicherheitspolitik gesetzt werden. Ein erklärtes Ziel der Bundesregierung ist es, den wirtschaftlichen Aufschwung und die positive Entwicklung am Arbeitsmarkt weiter zu stärken. Außerdem will sie ihre ehrgeizige Klima- und Energiepolitik fortsetzen.

---

auf ein eigenes Auftreten und überlässt das Feld der mit ihr eng verbundenen Christlich-Sozialen Union (CSU). Im Bundestag haben sich die Abgeordneten beider Parteien dauerhaft zu einer **Fraktionsgemeinschaft** zusammengeschlossen.

Die Sozialdemokratische Partei Deutschlands (SPD) ist die zweite große Kraft im deutschen Parteiensystem. Sie gehört zur europäischen Parteienfamilie der Sozialdemokraten und demokratischen Sozialisten. CDU/CSU und SPD gelten als Volksparteien, das heißt, sie haben in der Vergangenheit mit Erfolg einen breiten Querschnitt der **Wählerschaft** umworben. Beide stehen grundsätzlich positiv zum Sozialstaat mit seinen Einkommensgarantien für Alte, Kranke, Behinderte und Erwerbslose. CDU/CSU integrieren eher die Schichten der Selbstständigen, Gewerbetreibenden und Unternehmer, die SPD steht den Gewerkschaften nahe.

Die Freie Demokratische Partei (FDP) gehört zur Familie der liberalen europäischen Parteien. Ihr politisches Credo ist das geringstmögliche Eingreifen des Staates in den Markt. Die FDP ist keine Volkspartei. Sie genießt Rückhalt vor allem in den höheren Einkommens- und Bildungsschichten.

Die auf das Gründungsjahr 1980 zurückgehende Partei Bündnis 90/Die Grünen, kurz als „Grüne" bezeichnet, war die erste dauerhaft erfolgreiche Neugründung nach 1949. Die Grünen gehören zur europäischen Parteienfamilie der grünen und ökologischen Parteien. Ihr programmatisches Merkmal ist die Kombination der Marktwirtschaft mit den vom Staat zu überwachenden Geboten des Natur- und Umweltschutzes. Auch sie vertreten eher gut verdienende und überdurchschnittlich gebildete Wählerinnen und Wähler.

Mit der Wiedervereinigung betrat die Partei des Demokratischen Sozialismus (PDS) die politische Bühne der Bundesrepublik Deutschland. Sie ist 1989 aus der sozialistischen Staatspartei der früheren Deutschen Demokratischen Republik, der SED, hervorgegangen. Die PDS hat sich zu einer demokratischen Partei gewandelt. Politisch erfolgreich war sie zunächst ausschließlich in den fünf östlichen Ländern der Bundesrepublik, dem ehemaligen Staatsgebiet der DDR. Zur Bundestagswahl 2005 kandidierten Mitglieder

**Fraktionsgemeinschaft**
Mindestens fünf Prozent der Mitglieder des Bundestags, die derselben Partei oder solchen Parteien angehören, die aufgrund gleichgerichteter politischer Ziele in keinem Bundesland miteinander im Wettbewerb stehen, können eine Fraktion bilden. Nach der Fraktionsstärke bemisst sich auch ihr Anteil an der Zusammensetzung der Ausschüsse und des Ältestenrates.

**Wählerschaft**
Knapp 62 Millionen Deutsche über 18 Jahre sind aufgerufen, an der Wahl zum Bundestag teilzunehmen. Dabei stellen die mehr als 32 Millionen Frauen die Mehrheit. Bei der Bundestagswahl 2005 waren 2,6 Millionen Erstwähler wahlberechtigt.

# Das politische System

Die Bundesrepublik Deutschland ist ein demokratischer, föderaler und sozialer Rechtsstaat. Diese Prinzipien bilden zusammen mit den Grundrechten den unantastbaren Kern der Verfassung, über dessen Einhaltung das Bundesverfassungsgericht wacht

**ernennt**

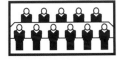

**Bundesregierung**
Die Exekutive besteht aus dem Bundeskanzler und den Bundesministern. Jeder Minister leitet sein Ressort eigenverantwortlich im Rahmen der Richtlinien

**schlägt Minister vor**

**Bundeskanzler**
Er bildet das Kabinett und leitet die Regierung. Er erlässt die Richtlinien der Politik und trägt die Regierungsverantwortung

**Die deutschen Bundeskanzler**

① **Konrad Adenauer (CDU)**
1949–1963
② **Ludwig Erhard (CDU)**
1963–1966
③ **Kurt Georg Kiesinger (CDU)**
1966–1969
④ **Willy Brandt (SPD)**
1969–1974
⑤ **Helmut Schmidt (SPD)**
1974–1982
⑥ **Helmut Kohl (CDU)**
1982–1998
⑦ **Gerhard Schröder (SPD)**
1998–2005
⑧ **Angela Merkel (CDU)**
seit 2005

Der Plenarsaal des Deutschen Bundestags

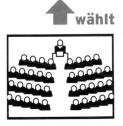

**wählt**

**wählt**

**stellt**

**Bundestag**
Das Parlament ist auf vier Jahre gewählt und setzt sich aus 598 Abgeordneten zusammen. Je nach Wahlergebnis kommen „Überhangmandate" hinzu. Zentrale Aufgaben sind die Gesetzgebung und die Kontrolle der Regierung

**Wahlberechtigte Bevölkerung**
Wahlberechtigt sind alle Staatsbürger über 18 Jahre. Sie wählen die Abgeordneten in allgemeiner, unmittelbarer, freier, gleicher und geheimer Wahl

**wählt**

Schloss Bellevue, Amtssitz des Bundespräsidenten

**Bundespräsident**
Er ist das Staatsoberhaupt der Bundesrepublik Deutschland. Der Bundespräsident hat in erster Linie repräsentative Aufgaben und vertritt die Bundesrepublik nach innen und außen

**Bundesverfassungsgericht**
Das oberste Gericht besteht aus 16 Richterinnen und Richtern. Sie werden zur Hälfte von Bundestag und Bundesrat gewählt. Eine Wiederwahl ist ausgeschlossen

**Die deutschen Bundespräsidenten**

**wählt auf 5 Jahre**

**wählt**

**Bundesversammlung**
Sie wählt den Bundespräsidenten und besteht aus den Mitgliedern des Bundestages und gleich vielen Mitgliedern, die von den Parlamenten der Länder gewählt werden

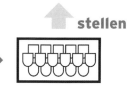

**Bundesrat**
Die 69 von den Landesregierungen entsandten Mitglieder sind an der Gesetzgebung beteiligt. Sie vertreten die Länderinteressen beim Bund

① **Theodor Heuss (FDP)**
1949-1959
② **Heinrich Lübke (CDU)**
1959-1969
③ **Gustav Heinemann (SPD)**
1969-1974
④ **Walter Scheel (FDP)**
1974-1979
⑤ **Karl Carstens (CDU)**
1979-1984
⑥ **Richard v. Weizsäcker (CDU)**
1984-1994
⑦ **Roman Herzog (CDU)**
1994-1999
⑧ **Johannes Rau (SPD)**
1999-2004
⑨ **Horst Köhler (CDU)**
seit 2004

**stellen**

**stellen**

**Landesparlamente**
Die Abgeordneten werden direkt gewählt, sie erlassen Gesetze und kontrollieren die Regierungen

**Landesregierungen**
Die Regierungen der Bundesländer bestehen aus den Ministerpräsidenten und den Landesministern. Regierungsbildung und Kompetenzen sind unterschiedlich geregelt

**wählt**

**Wahlsystem**
In Deutschland wird nach einer leicht modifizierten personalisierten Verhältniswahl gewählt. Jeder Wahlberechtigte hat zwei Stimmen zu vergeben. Mit der Erststimme wählt man den Kandidaten einer Partei im Wahlkreis, mit der Zweitstimme die Landesliste einer Partei. Grundlage für die Anzahl der Mandate im Bundestag sind die gültigen Zweitstimmen.

*Versammlungsort der Volksvertretung: Der Plenarsaal des Deutschen Bundestags*

**Sperrklausel**
Nur solche Parteien werden bei der Mandatszuteilung im Bundestag berücksichtigt, welche die Hürde von fünf Prozent der Wählerstimmen übersprungen oder mindestens drei Wahlkreismandate erreicht haben.

der neu gegründeten und bislang erst bei einer Landtagswahl angetretenen Partei Wahlalternative Arbeit & Soziale Gerechtigkeit (WASG) auf der Liste der PDS, die sich in Die Linkspartei.PDS unbenannte. Im Juni 2007 schlossen sich die beiden Parteien zur Partei Die Linke zusammen.

## Das Wahlsystem

Das deutsche **Wahlsystem** macht es für eine einzelne Partei sehr schwierig, allein die Regierung zu bilden. Diese Möglichkeit ergab sich in 56 Jahren erst einmal. Das Parteienbündnis ist der Regelfall. Damit die Wähler wissen, mit welchem Partner die von ihnen gewählte Partei zu regieren gedenkt, beschließen die Parteien Koalitionsaussagen, bevor sie in den Wahlkampf ziehen. Mit der Wahl einer Partei drückt der Bürger also zum einen die Präferenz für ein Parteienbündnis aus, zum anderen bestimmt er damit das Kräfteverhältnis der erwünschten künftigen Regierungspartner.

## Der Bundestag

Der Bundestag ist die gewählte Vertretung des deutschen Volkes. In technischer Hinsicht wird die Hälfte der 598 Bundestagsmandate durch die Wahl von Landeslisten der Parteien (Zweitstimmen) zugeteilt und die andere Hälfte durch die Wahl von Personen in 299 Wahlkreisen (Erststimmen). Diese Aufteilung ändert nichts an der Schlüsselstellung der Parteien im Wahlsystem. Nur jene Wahlkreiskandidaten haben Aussichten auf Erfolg, die einer Partei angehören. Die Parteizugehörigkeit der Bundestagsabgeordneten soll die Verteilung der Wählerstimmen widerspiegeln. Um die Mehrheitsbilder aber nicht durch die Präsenz kleiner und kleinster Parteien zu komplizieren, schließt sie eine **Sperrklausel,** die so genannte Fünf-Prozent-Hürde, von der Vertretung im Bundestag aus.

Der Bundestag ist das deutsche Parlament. Seine Abgeordneten organisieren sich in Fraktionen und wählen aus ihrer Mitte einen Präsidenten. Der Bundestag hat die

Aufgabe, den Bundeskanzler zu wählen und ihn dann durch Zustimmung zu seiner Politik im Amt zu halten. Der Bundestag kann den Kanzler ablösen, indem er ihm das Vertrauen verweigert. Darin gleicht er anderen Parlamenten. Es macht auch keinen großen Unterschied, dass in Deutschland der Kanzler gewählt, in Großbritannien oder anderen parlamentarischen Demokratien aber vom Staatsoberhaupt ernannt wird. In anderen parlamentarischen Demokratien wird stets ein Parteiführer zum Regierungschef ernannt, der sich auf eine Parlamentsmehrheit stützen kann.

Die zweite große Aufgabe der **Abgeordneten** im Bundestag ist die Gesetzgebung. Seit 1949 sind im Parlament rund 9000 Gesetzesvorlagen eingebracht und mehr als 6200 Gesetze verkündet worden. Überwiegend handelt es sich dabei um Gesetzesänderungen. Die meisten Entwürfe stammen von der Bundesregierung. Ein kleinerer Teil wird aus dem Parlament oder vom Bundesrat eingebracht. Auch hier gleicht der Bundestag den Parlamenten anderer parlamentarischer Demokratien darin, dass er hauptsächlich Gesetze verabschiedet, die von der Bundesregierung vorgeschlagen werden. Der Bundestag verkörpert allerdings weniger den Typ des Debattierparlaments, wie es die britische Parlamentskultur kennzeichnet. Er entspricht eher dem Typ des Arbeitsparlaments.

**Abgeordnete**
Die Abgeordneten des Deutschen Bundestags werden in allgemeiner, unmittelbarer, freier, gleicher und geheimer Wahl gewählt. Sie sind Vertreter des ganzen Volkes, an Aufträge und Weisungen nicht gebunden. Ein Ausschluss oder Austritt aus einer Partei hat daher keine Auswirkungen auf das Mandat. In der Praxis spielt aber die Parteizugehörigkeit die entscheidende Rolle, denn die Abgeordneten einer gleichen Partei schließen sich, sofern sie eine Mindestzahl an Sitzen errungen haben, zu Fraktionen zusammen und prägen dadurch das parlamentarische Geschehen.

 **Der 16. Deutsche Bundestag**

Am 18. September 2005 wurde der 16. Deutsche Bundestag gewählt. Vorausgegangen war der Wahl die Auflösung des Bundestages nach einer gescheiterten Vertrauensfrage des Bundeskanzlers. In seiner neuen Zusammensetzung gehören dem Parlament fünf Fraktionen an. SPD und die Unionsparteien CDU/CSU stellen die Regierung in einer Großen Koalition. Bundestagspräsident – und damit zweithöchster Repräsentant des Staates – ist der CDU-Abgeordnete Norbert Lammert. 32 Prozent der Abgeordneten sind Frauen.

FDP | DIE LINKE. | CSU | CDU | SPD | 613 Sitze | 61 | 46 | 178 | 222 | 51 | 53

Zwei Abgeordnete sind fraktionslos.

**Fachausschüsse**
Die Ausschüsse des Bundestages sind Organe des ganzen Parlaments. In der 16. Legislaturperiode hat das Parlament 22 ständige Ausschüsse eingesetzt. Von der Verfassung vorgeschrieben sind die Einsetzung des Auswärtigen Ausschusses, des EU-Ausschusses, des Verteidigungs- und des Petitionsausschusses. Ihre Aufgabe ist es, die Verhandlungen des Bundestages vorzubereiten. Im Beisein der Regierungs- und der Bundesratsvertreter werden Gesetzentwürfe untersucht und die Gegensätze zwischen Regierung und Opposition, soweit möglich, ausgeglichen.

Die **Fachausschüsse** des Bundestages beraten sehr intensiv und sachkundig über die dem Parlament vorgelegten Gesetzentwürfe. Darin ähnelt die Tätigkeit des Bundestages ein Stück weit dem Zuschnitt des US-amerikanischen Kongresses, der den Prototyp des Arbeitsparlaments bildet.

Die dritte große Aufgabe des Bundestages ist die Kontrolle der Regierungsarbeit. Die in der Öffentlichkeit sichtbare parlamentarische Kontrolle übt die parlamentarische Opposition aus. Der weniger sichtbare, dafür aber nicht weniger wirksame Teil der Kontrollfunktion wird von den Abgeordneten der Regierungsparteien übernommen, die hinter den verschlossenen Türen der Sitzungsräume kritische Fragen an ihre Regierungsvertreter richten.

## Der Bundespräsident

Der Bundespräsident repräsentiert die Bundesrepublik Deutschland als Staatsoberhaupt. Er vertritt das Land nach außen und ernennt die Regierungsmitglieder, die Richter und die hohen Beamten. Mit seiner Unterschrift setzt er die Gesetze in Kraft. Er entlässt die Regierung und darf, wie im Sommer 2005 geschehen, das Parlament in Ausnahmefällen vorzeitig auflösen. Ein Vetorecht, wie es der US-amerikanische Präsident oder andere Staatspräsidenten gegen Gesetzesbeschlüsse der parlamentarischen Körperschaften besitzen, gesteht das Grundgesetz dem Bundespräsidenten nicht zu. Der Bundespräsident bestätigt zwar die parlamentarischen Beschlüsse und die Personalvorschläge der Regierung. Aber er prüft nur ihr korrektes Zustandekommen nach den Vorschriften des Grundgesetzes.

*Das Staatsoberhaupt: Bundespräsident Horst Köhler vertritt Deutschland auch nach außen, wie hier während einer Afrika-Reise*

Der Bundespräsident übt sein Amt über eine Periode von fünf Jahren aus; er kann für eine weitere Periode wiedergewählt werden. Er wird von der Bundesversammlung gewählt. Diese besteht zum einen aus den Mitgliedern des Bundestages und zum anderen aus einer gleichen Anzahl von Mitgliedern, die von den Parlamenten der 16 Länder gewählt werden.

*Zentrale Koordinierungsstelle der Regierungspolitik: Das Bundeskanzleramt im Berliner Spreebogen*

## Der Bundeskanzler und die Regierung

Der Bundeskanzler ist das einzige gewählte Mitglied der **Bundesregierung**. Die Verfassung räumt ihm das Recht ein, selbst die Minister als die Leiter der wichtigsten politischen Behörden auszuwählen. Der Kanzler bestimmt ferner die Anzahl der Ministerien, und er legt deren Zuständigkeiten fest. Er besitzt die Richtlinienkompetenz. Sie umschreibt das Recht des Kanzlers, verbindlich die Schwerpunkte der Regierungstätigkeit vorzuschreiben. Mit diesen Befugnissen besitzt der Bundeskanzler ein Arsenal von Führungsinstrumenten, das dem Vergleich mit der Regierungsmacht der Präsidenten in präsidialen Demokratien standhält.

Dem Parlamentarischen Rat, der 1949 das Grundgesetz beschloss, stand als Vorbild für den Bundeskanzler das Bild des britischen Premierministers vor Augen. Dieser verfügt über exakt die gleichen Machtmittel wie der Kanzler, doch tatsächlich fällt dessen Macht weit hinter die des britischen Premiers zurück. Im parlamentarischen System Großbritanniens regiert immer nur eine Partei, denn das britische Mehrheitswahlsystem begünstigt die stärkste Partei. Im Bundestag besitzt im Regelfall keine Partei die Mehrheit. Für die Kanzlerwahl ist deshalb üblicherweise eine **Koalition**, das heißt ein Bündnis verschiedener Parteien, erforderlich.

**Bundesregierung**
Bundeskanzler und Bundesminister bilden die Bundesregierung, das Kabinett. Neben der Richtlinienkompetenz des Kanzlers gilt das Ressortprinzip, nach dem die Minister ihren Bereich im Rahmen dieser Richtlinien eigenständig leiten, sowie das Kollegialprinzip, nach dem die Bundesregierung mit Mehrheitsbeschluss über Streitfragen entscheidet. Die Geschäfte leitet der Kanzler.

**Koalitionen**
Seit der ersten Bundestagswahl 1949 gab es in Deutschland 21 Koalitionsregierungen. Dauerhafte Bündnisse waren beispielsweise die sozialliberale Koalition aus SPD und FDP von 1969 bis 1982, die Koalition von CDU/CSU und FDP von 1982 bis 1998 und das rot-grüne Bündnis von SPD und Bündnis 90/Die Grünen von 1998 bis 2005. Zurzeit regiert in Deutschland eine Große Koalition aus CDU/CSU und SPD.

**Bundeskanzler**

Der Bundeskanzler wird vom Bundestag auf Vorschlag des Bundespräsidenten gewählt. Er schlägt dem Bundespräsidenten die Ernennung und Entlassung der Ministerinnen und Minister vor. Der Bundeskanzler leitet die Bundesregierung nach einer vom Bundespräsidenten genehmigten Geschäftsordnung. Er trägt die Regierungsverantwortung gegenüber dem Bundestag und besitzt im Verteidigungsfall die Befehls- und Kommandogewalt über die Streitkräfte.

Der Kanzlerwahl gehen ausführliche Beratungen zwischen den Parteien voraus, die gemeinsam regieren wollen. Hier geht es dann im Einzelnen darum, wie die Ministerien zwischen den Parteien aufgeteilt werden, welche Ministerien beibehalten und welche neu geschaffen werden sollen. Der stärkeren Partei im Regierungsbündnis wird das Recht zugebilligt, den **Bundeskanzler** zu stellen. Des Weiteren verständigen sich die Parteien auf die Vorhaben, die sie in den nächsten Jahren in Angriff nehmen wollen. Die Ergebnisse dieser Koalitionsverhandlungen werden in einem Koalitionsvertrag niedergelegt. Erst nach diesen Schritten wird der Bundeskanzler gewählt. Verhandlungen zwischen den Regierungsparteien bereiten die Entscheidungen der Bundesregierung vor und begleiten sie. Wenn sich der Vorrat an politischen Gemeinsamkeiten noch vor der Wahl eines neuen Bundestages erschöpft, wird die Ablösung des Bundeskanzlers aktuell. Mit der Ablösung des amtierenden Kanzlers durch ein – konstruktives – Misstrauensvotum muss gleichzeitig ein neuer Kanzler gewählt werden. Diese offensive Aufkündigung des parlamentarischen Vertrauens zwingt die im Bundestag vertretenen Parteien, eine neue, arbeitsfähige Regierungsmehrheit zu bilden, bevor sie den Kanzler stürzt. Ein Kanzlersturz ist erst zweimal versucht worden, nur einmal, 1982, gelang er: Dem damaligen Kanzler Helmut Schmidt (SPD) wurde das Misstrauen ausgesprochen und Helmut Kohl (CDU) gewählt.

*Eines der meistbesuchten Gebäude in Deutschland: Der Reichstag, Sitz des Deutschen Bundestags*

Der Bundeskanzler kann aber auch im Bundestag jederzeit die Vertrauensfrage stellen, um zu prüfen, ob er noch den uneingeschränkten Rückhalt der Regierungsparteien genießt. Verliert der Kanzler diese Vertrauensabstimmung, wenden sich also Teile der Regierungsmehrheit vom Kanzler ab, dann liegt die Entscheidung, ob der Bundestag aufgelöst wird und damit Neuwahlen stattfinden sollen, beim Bundespräsidenten. Der Bundespräsident kann die im Bundestag vertretenen Parteien auch auffordern, die Bildung einer neuen Regierung zu versuchen.

Eine wirkliche Niederlage bei einer Vertrauensabstimmung hat es in der Geschichte der Bundesrepublik nicht gegeben. Dreimal gab es jedoch verabredete Niederlagen: Die Abgeordneten der Regierungsparteien oder die Minister enthielten sich der Stimme, um die Regierung zu Fall zu bringen (1972, 1982, 2005). Dieser Weg wurde beschritten, um die nach der Verfassung sonst nicht mögliche vorzeitige Neuwahl des Bundestages zu veranlassen. Er lässt sich nur mit Zustimmung des Bundespräsidenten beschreiten und ist nicht unumstritten. Bereits 1983 hat das Verfassungsgericht betont, dass es sich um ein bedenkliches, von der Verfassung nicht gewolltes Verfahren handle. 2005 wurde das oberste Gericht ebenfalls angerufen, doch auch hier wiesen die Verfassungsrichter die Klage zweier Abgeordneter zurück.

*Das Grundgesetz als Kunstwerk: Installation von Dani Karavan nahe dem Reichstagsgebäude*

## Der Bundesstaat

Der deutsche Bundesstaat ist ein komplexes Gebilde. Er besteht aus der zentralstaatlichen Ebene des Bundes und 16 Ländern. Das Grundgesetz legt in einer detaillierten Zuständigkeitsordnung fest, welche Angelegenheiten vom Bund und welche von den Ländern wahrgenommen werden. Insofern ähnelt das bundesstaatliche System Deutschlands dem anderer Bundesstaaten. Das öffentliche Leben Deutschlands fußt maßgeblich auf den Bundesgesetzen. Die Bürgerinnen und Bürger hingegen haben es – nach dem **Subsidiaritätsprinzip** – fast ausschließlich mit Landesbehörden oder mit kommunalen Verwaltungen zu tun, die im Auftrag der Länder handeln. Der Grund dafür liegt im Bemühen des Grundgesetzes, die Vorteile des Einheitsstaates mit denen des Bundesstaates zu kombinieren. Die Bürger anderer Staaten begegnen in ihrem Alltag weit häufiger Vertretern der Bundesbehörden.

Das Grundgesetz verlangt die Vergleichbarkeit der Lebensverhältnisse in ganz Deutschland. Diese Lebensverhältnisse werden wesentlich von der Wirtschafts- und Sozialpolitik bestimmt. Deshalb regeln diesen Bereich hauptsächlich Bundesgesetze. Insoweit ähnelt der deutsche Bundesstaat einem Einheitsstaat. Dennoch kontrollieren die Länder

**Subsidiaritätsprinzip**
Die Subsidiarität gehört zu den Kerngedanken des Föderalismus. Danach haben Verantwortung und Entscheidungen bei der kleinsten sozialen Gemeinschaft zu liegen, die zur Problembewältigung in der Lage ist – zunächst beim Individuum, dann bei der Familie, den Vereinigungen, den Kommunen, Ländern und dem Gesamtstaat bis hin zur Europäischen Union und den Vereinten Nationen.

**Kommunale Selbstverwaltung**
Nach dem Grundgesetz haben Städte, Gemeinden und Kreise das Recht, alle Angelegenheiten der örtlichen Gemeinschaft im Rahmen der Gesetze in eigener Verantwortung zu regeln. Das Selbstverwaltungsrecht umfasst vor allem den öffentlichen Nahverkehr, den örtlichen Straßenbau, die Versorgung mit Wasser, Gas und Strom, die Abwasserentsorgung und die Städtebauplanung.

*Mitwirkung bei der Gesetzgebung: Plenarsitzung des Bundesrats*

den Großteil der gesamtstaatlichen Verwaltungskapazität. In der deutschen Verwaltung herrschen also föderalistische Elemente vor. Die Länderverwaltungen führen zum einen, wie es für einen Bundesstaat typisch ist, die jeweiligen Landesgesetze aus. Sie exekutieren darüber hinaus – in durchaus untypischer Weise für bundesstaatliche Systeme – noch die meisten Bundesgesetze. Die Charakterisierung des deutschen Bundesstaates bedient sich deshalb solcher Formulierungen wie „unitarischer" oder „verkappter" Bundesstaat.

Drei gesamtstaatliche Aufgaben erfüllen die Länder ganz in eigener Regie: die Angelegenheiten der Schulen – weitgehend auch die der Hochschulen –, die innere Sicherheit, darunter die Aufgaben der Polizei, sowie die Ausgestaltung der **kommunalen Selbstverwaltung**. Die Länder finden in den weit gefassten Mitwirkungsrechten des Bundesrates einen Ausgleich für den Vorrang des Bundes in der Gesetzgebung.

## Der Bundesrat

Der Bundesrat ist die Vertretung der Länder, eine Art Zweite Kammer neben dem Bundestag. Er muss jedes Bundesgesetz beraten. Als Länderkammer hat der Bundesrat die gleiche Funktion wie die Zweiten Kammern in anderen Bundesstaaten, die meist als Senat bezeichnet werden. Dem Bundesrat

 **Sitzverteilung im Bundesrat**

Baden-Württemberg
Bayern — 6
Berlin — 6
Brandenburg — 4
Bremen — 4
Hamburg — 3
Hessen
Mecklenburg-Vorpommern

**Anzahl der Stimmen je Bundesland**

5  3  6

Thüringen
Schleswig-Holstein — 4
Sachsen-Anhalt — 4
Sachsen — 4
Saarland — 3
Rheinland-Pfalz
Nordrhein-Westfalen
Niedersachsen

Der Bundesrat ist eines der fünf ständigen Verfassungsorgane der Bundesrepublik Deutschland. Er ist an der Gesetzgebung beteiligt und entscheidet so mit über die Politik des Bundes und die Angelegenheiten der Europäischen Union. Seine 69 Mitglieder werden von den 16 Landesregierungen entsandt. Dabei haben die Länder ein abgestuftes Stimmengewicht, das sich an der Einwohnerzahl orientiert. Jedes Land kann seine Stimmen nur einheitlich abgeben. Als Präsident des Bundesrats amtiert für jeweils ein Jahr der Ministerpräsident eines Landes; die Reihenfolge wird durch die Einwohnerzahl der Länder bestimmt.

gehören ausschließlich Vertreter der Landesregierungen an. Das Stimmengewicht der Länder trägt in sehr moderater Form der Bevölkerungsstärke Rechnung: Jedes Land hat mindestens drei, die einwohnerstärkeren Länder bis zu sechs Stimmen. Das kleinste Land Bremen zählt 660 000, das größte Land Nordrhein-Westfalen über 18 Millionen Einwohner.

Der Bundesrat wirkt am Zustandekommen der Bundesgesetze mit. Dabei unterscheidet er sich von den Zweiten Kammern anderer Bundesstaaten. Das Grundgesetz sieht zwei Arten von Mitwirkung vor. Bundesgesetze, die den Ländern zusätzliche Verwaltungskosten verursachen oder die an die Stelle bisheriger Landesgesetze treten, unterliegen der Zustimmungspflicht des Bundesrates: Der Bundesrat muss einem Gesetzesbeschluss des Bundestages zustimmen, damit dieser wirksam werden kann. Hier hat der Bundesrat den Status einer mit dem Bundestag gleichberechtigten gesetzgebenden Körperschaft. Gegenwärtig sind mehr als 50 Prozent aller Gesetzesbeschlüsse zustimmungspflichtig.

*Bindeglied zwischen Bund und Ländern: Der Bundesrat im ehemaligen Preußischen Herrenhaus im Zentrum von Berlin*

## Gerichtsbarkeit

Die Bundesrepublik Deutschland ist ein Rechtsstaat, der Rechtssicherheit, den Schutz der Freiheitsrechte und Rechtsgleichheit gewährleistet. Dazu trägt ganz wesentlich das Grundgesetz bei, denn die Rechtsstaatsprinzipien haben Verfassungsrang. Über die Einhaltung dieser Rechte wacht das oberste Gericht, das Bundesverfassungsgericht.

Die Rechtspflege in Deutschland ist in fünf Zweigen organisiert: die ordentliche, die Arbeits-, die Verwaltungs-, die Sozial- sowie die Finanzgerichtsbarkeit. Im Normalfall gibt es drei Instanzen zur  Überprüfung gerichtlicher Entscheidungen. Prozessbeteiligte können das Urteil eines Gerichts anfechten. Dann wird über den Rechtsstreit noch einmal in einer „höheren Instanz" verhandelt und entschieden. Erst die letzte Instanz stellt unanfechtbar fest, was in dem jeweiligen Fall Recht ist, und beendet damit den Prozess.

Die Rechtsprechung ist etwa 21 000 unabhängigen und nur dem Gesetz unterworfenen Berufsrichtern anvertraut, die in der Regel auf Lebenszeit bestellt sind. Sie dürfen grundsätzlich nicht ihres Amtes enthoben werden. Daneben gibt es in Deutschland etwa 5000 Staatsanwälte und mehr als 100 000 Rechtsanwälte.

Nach politischer Stabilität und Rechtssicherheit befragt, geben ausländische Investoren Deutschland den zweiten Platz hinter Großbritannien. Diese Rechtssicherheit zieht ausländische Firmen an und begünstigt Investitionen und unternehmerisches Handeln in Deutschland.

**Bundesverfassungsgericht**
Es hat seinen Sitz in Karlsruhe und besteht aus zwei Senaten mit je acht Richtern, die je zur Hälfte vom Bundestag und vom Bundesrat gewählt werden. Die Amtszeit beträgt zwölf Jahre. Eine Wiederwahl ist nicht möglich.

Weil die Bundesgesetze grundsätzlich von den Länderverwaltungen ausgeführt werden, bringen die wichtigsten und kostenintensiven Gesetze die Verwaltungshoheit der Länder ins Spiel. Von diesen Zustimmungsgesetzen sind die „Einspruchsgesetze" zu unterscheiden. Diese kann der Bundesrat zwar ablehnen. Der Bundestag kann den Einspruch aber mit der gleichen Mehrheit wie im Bundesrat – einfache, absolute oder Zweidrittel-Mehrheit – zurückweisen.

Bedenkt man, dass die Tätigkeit des Bundesrates auf den Schultern der 16 Landesregierungen ruht, so wird deutlich, dass die Landesregierungen bedeutende bundespolitische Akteure sind. Diesem Umstand verdanken die Ministerpräsidenten als Regierungschefs der Länder ihre weit über die eigenen Länder hinaus reichende Sichtbarkeit. Seit September 2006 regelt eine **Föderalismusreform** die Zuständigkeiten von Bund und Ländern neu. Ziel der Reform ist es, die Handlungs- und Entscheidungsfähigkeit von Bund und Ländern zu verbessern und die politischen Verantwortlichkeiten deutlicher zuzuordnen.

## Das Bundesverfassungsgericht

Das **Bundesverfassungsgericht** ist eine charakteristische Institution der deutschen Nachkriegsdemokratie. Es wurde vom Grundgesetz mit dem Recht ausgestattet, demokratisch korrekt zustandegekommene Gesetzesbeschlüsse außer Kraft zu setzen, wenn es zu der Feststellung gelangt, dass sie

## Das Thema im Internet

**www.bundespraesident.de**
Die Website informiert über Person und Amt des Bundespräsidenten und veröffentlicht Reden und Interviews (Deutsch, Englisch, Französisch, Spanisch)

**www.bundestag.de**
Das Internetangebot des Deutschen Bundestags informiert über die Fraktionen, die Abgeordneten und bietet

Zugang zu Internet-Übertragungen der Plenardebatten (Deutsch, Englisch, Französisch)

**www.bundesrat.de**
Tagesordnungen und Parlamentsdrucksachen finden sich auf der Homepage ebenso wie umfangreiche Informationen zur Arbeit des Bundesrats (Deutsch, Englisch, Französisch)

**www.bundesverfassungsgericht.de**
Neben allgemeinen Informationen sind auf der Website des Bundesverfassungsgerichts sämtliche Urteile seit 1998 abrufbar (Deutsch, Englisch)

**www.bundesregierung.de**
Das Portal stellt Informationen zu den wichtigsten Politikthemen zur Verfügung (Deutsch, Englisch, Französisch)

gegen das Grundgesetz verstoßen. Das Verfassungsgericht kann nur dann tätig werden, wenn es mit einer Klage befasst wird. Der Kreis der Klageberechtigten umfasst die Bundesorgane Bundespräsident, Bundestag, Bundesrat, Bundesregierung oder deren Teile – Abgeordnete oder Fraktionen – sowie Landesregierungen. Das Verfassungsgericht wird im „Verfassungsstreit" zum Schutz der im Grundgesetz garantierten Gewaltenteilung und des Bundesstaates aktiv. Um auch einer parlamentarischen Minderheit die Anrufung des Verfassungsgerichts zu ermöglichen, genügt ein Drittel der Mitglieder des Bundestages, um Klage gegen eine Rechtsnorm zu erheben („abstrakte Normenkontrollklage").

Das Grundgesetz legitimiert auch den einzelnen Bürger zur „Verfassungsbeschwerde", wenn er sich durch das Handeln einer Behörde in seinen Grundrechten verletzt sieht. Schließlich ist jedes deutsche Gericht verpflichtet, mit einer „konkreten Normenkontrollklage" an das Verfassungsgericht heranzutreten, wenn es ein Gesetz für verfassungswidrig hält. Das Bundesverfassungsgericht hat das Monopol auf die Verfassungsauslegung für die gesamte Gerichtsbarkeit.

**Föderalismusreform**
Seit dem 1. September 2006 gelten die Bestimmungen der Föderalismusreform zur Neuordnung der bundesstaatlichen Ordnung. Die umfassendste Grundgesetzreform seit 1949 verbessert die Entscheidungsfähigkeit des Bundestags und dient einer Entflechtung der Zuständigkeiten von Bund und Ländern. So wird die Zahl der Bundesgesetze, die der Zustimmung des Bundesrates bedürfen, von zuvor rund 60 Prozent auf 35 bis 40 Prozent verringert. Im Gegenzug erhalten die Länder mehr eigene Gestaltungsspielräume, vor allem in der Bildungspolitik. Mehr Rechte hat der Bund dagegen im Umweltbereich und in der Abfallwirtschaft.

## Deutschland und Europa

Deutschland teilt mit den meisten Mitgliedsstaaten der Europäischen Union (EU) grundlegende Eigenschaften des politischen Systems. Es besitzt das Regierungssystem der parlamentarischen Demokratie, das heißt, die Regierungspolitik wird vom Regierungschef und seinen Ministern, aber nicht vom Staatsoberhaupt bestimmt. Durch die hohen Standards des Grundgesetzes für Rechtsstaatlichkeit und Demokratie wird bisweilen auch das Bundesverfassungsgericht zu einem europapolitischen Akteur. Das Gericht hat mehrfach verdeutlicht, dass die europäische Rechtsordnung den Kriterien des Grundgesetzes genügen muss, bevor Deutschland politische Gestaltungsrechte an die EU abtritt. Die „Ewigkeitsgarantie" der tragenden Grundgesetzprinzipien gerät hier in ein gewisses Spannungsverhältnis zum Bekenntnis des Grundgesetzes zur europäischen Integration.  ●

**Jürgen Hartmann**
Professor Dr. Jürgen Hartmann lehrt Politikwissenschaft an der Helmut-Schmidt-Universität der Bundeswehr Hamburg. Er ist Autor zahlreicher Lehrbücher und Einführungen in die verschiedenen Teilgebiete der Politikwissenschaft.

**5**

# Außenpolitik

Im Zeitalter der Globalisierung ist die Außenpolitik mehr denn je Weltinnenpolitik. Staaten, Gesellschaften und Wirtschaftsräume vernetzen sich. Mit dem Ende des Ost-West-Konfliktes haben sich für die deutsche Außenpolitik neue Chancen eröffnet – in Europa, wie auch weltweit. Deutschland hat die gewachsene internationale Verantwortung, die dem Land mit den weltpolitischen Umbrüchen zugewachsen ist, angenommen und setzt sich – gemeinsam mit den europäischen und transatlantischen Partnern – engagiert für Demokratie, Menschenrechte und den Dialog der Kulturen ein. Vorrangiges Ziel der deutschen Außenpolitik ist der Erhalt von Frieden und Sicherheit in der Welt.

# Deutschland – Partner in der Welt

*Von Gregor Schöllgen*

DAS 20. JAHRHUNDERT WAR ein Jahrhundert beispielloser Verwerfungen. Drei globale Konflikte – die beiden Weltkriege, der Kalte Krieg – und eine Serie revolutionärer Umbrüche haben im Leben der Staaten und Völker tiefe Spuren hinterlassen. Das gilt in besonderem Maße für Deutschland, schon weil das Land in der Mitte Europas entweder für die Entwicklungen, wie den Ausbruch der beiden Weltkriege, verantwortlich gewesen ist oder aber von den Ereignissen, wie dem Kalten Krieg und dem Beginn der Auflösung der bipolaren Weltordnung am Ende der achtziger Jahre, ungewöhnlich betroffen war. Die Deutschen sahen sich beim Zusammenbruch der alten Weltordnung mit einer grundlegend neuen innen- und außenpolitischen Situation konfrontiert. In diesem Falle profitierten sie von der politischen Dynamik, die in der Auflösung der Sowjetunion Ende 1991 ihren Abschluss fand. Denn die Entwicklung brachte ihnen nicht nur die Vereinigung ihrer beiden Teilstaaten, sondern mit dieser auch erstmals seit fast einem halben Jahrhundert wieder die volle Souveränität.

Für das vereinigte Deutschland begann damit eine Zeit außerordentlicher Herausforderungen. Zum einen musste die neue Lage im Innern gemeistert werden, zum anderen sahen sich die Deutschen zeitgleich mit einer neuen, ungewohnten Rolle in der **Außenpolitik** konfrontiert. Eben weil sie von der globalen Entwicklung besonders profitiert und mit der Wiedervereinigung ihr erklärtes Ziel erreicht hatten, waren die Erwartungen an das Land beträchtlich. Das galt für die jahrzehntelangen Verbündeten, es galt für die

**Außenpolitik**
Das vorrangige Ziel der deutschen Außenpolitik ist der Erhalt von Frieden und Sicherheit in der Welt. Der erweiterte Sicherheitsbegriff umfasst neben Fragen der Konfliktprävention, Verteidigung, Abrüstung und der Rüstungskontrolle auch menschenrechtliche, wirtschaftliche, ökologische und soziale Aspekte. Dazu gehören der Einsatz für Menschenrechte weltweit, eine Weltwirtschaft mit Chancen für alle, grenzüberschreitender Umweltschutz und ein offener Dialog zwischen den Kulturen. Die auswärtige Kultur- und Bildungspolitik ist ein integraler Bestandteil der deutschen Außenpolitik. Ihre praktische Umsetzung übernehmen größtenteils Mittlerorganisationen wie das Goethe-Institut, der Deutsche Akademische Austauschdienst, die Alexander von Humboldt-Stiftung, das Institut für Auslandsbeziehungen und die Deutsche UNESCO-Kommission (siehe Seite 162).

*Kooperation in den Vereinten Nationen: Außenminister Frank-Walter Steinmeier mit VN-Generalsekretär Ban Ki-moon*

vormaligen Staaten des Ostblocks, und es galt nicht zuletzt für die Völker und Staaten der südlichen Halbkugel, die seit dem ausgehenden 20. Jahrhundert einen grundlegenden Transformationsprozess durchleben. Dass sich der Blick jener Völker und Staaten gerade auf Deutschland richtete, war ebenfalls kein Zufall, sondern eine Folge der weltpolitischen Oszillationen: Da das Deutsche Reich mit dem Ersten Weltkrieg seinen gesamten kolonialen Besitz verloren hatte, musste nach dem Zweiten Weltkrieg kein Volk Asiens, Afrikas oder des pazifischen Raums seine Unabhängigkeit von einem der beiden deutschen Staaten erkämpfen.

## Grundzüge deutscher Außenpolitik

**Grundzüge der Außenpolitik**
Die deutsche Außenpolitik steht im Zeichen von Kontinuität und Zuverlässigkeit. Sie ist geprägt von partnerschaftlicher Zusammenarbeit und vom Interessenausgleich. Die Orientierungsvorgaben deutscher Außenpolitik lassen sich mit den Axiomen „Never again" und „Never alone" umreißen. „Never again" steht vor dem Hintergrund der deutschen Geschichte für die Abkehr von autoritärer und expansionsorientierter Politik sowie für eine profunde Skepsis gegenüber militärischen Machtmitteln. „Never alone" bedeutet die feste Einbindung in die Gemeinschaft der westlichen Demokratien. Die Integration Deutschlands in ein immer enger zusammenwachsendes Europa und seine feste Verankerung im Nordatlantischen Verteidigungsbündnis sind die Eckpfeiler der außenpolitischen Orientierung. In den Organisationen der multilateralen Zusammenarbeit ist Deutschland vielfältig engagiert.

So kam es, dass sich das vereinigte Deutschland quasi über Nacht im Zentrum des weltpolitischen Geschehens wiederfand. Dass diese Neuorientierung gelang, lag an den **Grundzügen der deutschen Außenpolitik**, wie sie sich seit der Gründung der Bundesrepublik entwickelt und verfestigt hatten. Das Einpendeln auf den breiten außenpolitischen Konsens und auf bestimmte Kontinuitäten war und ist eines der hervorstechenden Merkmale der politischen Kultur. Dazu gehören seit den Tagen Konrad Adenauers, des ersten Bundeskanzlers, die **transatlantische Partnerschaft** und die europäische Integration, der Wunsch nach gutnachbarschaftlichen Beziehungen – allen voran mit Frankreich, um die sich die deutsche Außenpolitik schon seit Anfang der fünfziger Jahre bemühte – ebenso wie der schon früh begonnene schwierige Prozess der Aussöhnung mit Israel. Das klingt selbstverständlich, bedeutete aber vor dem Hintergrund der deutschen Politik und Kriegführung während der ersten Hälfte des 20. Jahrhunderts und angesichts der starren Konstellationen des Kalten Krieges eine beträchtliche Herausforderung. Seit den ausgehenden sechziger Jahren, insbesondere seit der Kanzlerschaft Willy Brandts (1969–1974), wurde diese Orientierung nach Westen von einer Politik des Ausgleichs mit Polen und den anderen Staaten Ost- und Mittelosteuropas ergänzt und stetig weiterentwickelt. Mit Russland wiederum verbindet Deutschland heute eine strategische Partnerschaft.

Das von sämtlichen Bundesregierungen ausgebaute Fundament deutscher Außenpolitik aber war und ist die umfassende Integration des Landes in die Strukturen der multilateralen Zusammenarbeit. Dafür sprach nach den Erfahrungen zweier Weltkriege der unbedingte Wille der Nachbarn, die Deutschen durch ihre Einbindung und Kontrolle vor Ausbrüchen und Alleingängen abzuhalten; dafür sprach aber auch das elementare Bedürfnis der Deutschen nach Frieden, Sicherheit, Wohlstand und Demokratie sowie die Erkenntnis, dass die Integration ihres Landes die Voraussetzung für seine Wiedervereinigung sei.

Die Geschichte gab ihnen Recht, und daher war es kein Zufall, dass sich gerade die Deutschen, als es nach dem Ende des Ost-West-Konflikts um Halt und Orientierung ging, auf jene internationalen Organisationen konzentrierten, die schon der „alten" Bundesrepublik Halt und Perspektive

**Transatlantische Partnerschaft**
Die transatlantische Partnerschaft ist die Grundlage deutscher und europäischer Sicherheit. Ein enges und vertrauensvolles Verhältnis zu den USA ist für die Sicherheit Deutschlands weiterhin von überragender Bedeutung. Die transatlantische Partnerschaft ist allerdings weit mehr als ein rein politisches und militärisches Bündnis. Die engen Beziehungen zu den USA sind historisch gewachsen, beruhen auf gemeinsamen kulturellen Wurzeln und sind der Ausdruck einer tief gehenden Werte- und Interessengemeinschaft.

## ℹ Internationale Friedenseinsätze

 Deutschland engagiert sich an zahlreichen Orten der Welt, um zur Lösung internationaler Konflikte beizutragen und den Aufbau von Zivilgesellschaften zu fördern. Sowohl im multilateralen Rahmen als auch auf nationaler Ebene unternimmt Deutschland große Anstrengungen zur Verbesserung der Instrumente der Krisenprävention. Dazu gehören unter anderem Friedensmissionen der Vereinten Nationen, Projekte der Demokratisierungshilfe und die Entsendung von zivilem Personal. 2002 hat das Auswärtige Amt in Berlin das Zentrum für Internationale Friedenseinsätze (ZIF) gegründet, das gezielt zivile Helfer auf internationale Einsätze der VN, der OSZE oder der Europäischen Union vorbereitet. Bewaffnete Einsätze der Bundeswehr als Beitrag Deutschlands zur schnellen Krisen- und Konfliktreaktion finden nur gemeinsam mit Verbündeten und Partnern im Rahmen der NATO, der EU oder der VN statt. Im Juni 2007 befanden sich mehr als 8000 deutsche Soldatinnen und Soldaten in internationalen Friedenseinsätzen. Das Spektrum reicht vom Kampf gegen den Terrorismus im Rahmen von „Enduring Freedom" am Horn von Afrika über friedenserhaltende Einsätze auf dem Balkan (KFOR, EUFOR) oder in Afghanistan (ISAF), den Einsatz der Bundeswehr im Sudan an der Beobachtermission UNMIS bis hin zu humanitären Hilfeleistungen. Seit dem ersten Einsatz deutscher Streitkräfte 1992 in Kambodscha haben sich ca. 200 000 Soldatinnen und Soldaten der Bundeswehr für Frieden und Stabilität in Krisengebieten eingesetzt. **www.bundeswehr.de**

*Das Krisenreaktionszentrum im Auswärtigen Amt organisiert Hilfe, informiert, koordiniert*

**Sicherheitsrat**

Im Dezember 2004 ging die vierte Mitgliedschaft Deutschlands als nicht ständiges Mitglied im Sicherheitsrat der Vereinten Nationen seit dem Beitritt des Landes 1973 zu Ende. Um die Vereinten Nationen den neuen politischen Realitäten anzupassen, tritt Deutschland im Rahmen einer umfassenden Reform der Weltorganisation dafür ein, dass der Sicherheitsrat erweitert und seine Beratungen noch transparenter gestaltet werden.

gegeben hatten. Das galt für die Europäische Union (EU) ebenso wie für die Nordatlantische Allianz (NATO), für die Vereinten Nationen (VN) – als den zentralen Ort der Konfliktlösung – und für die Konferenz über Sicherheit und Zusammenarbeit in Europa (KSZE). Allerdings waren alle diese Zusammenschlüsse vom Ost-West-Konflikt geprägt, also von einem inzwischen abgeschlossenen Zeitalter. Während die Organisationen der kommunistischen Welt 1991 aufgelöst und die KSZE in die Organisation für Sicherheit und Zusammenarbeit in Europa (OSZE) überführt wurde, sehen sich die westlichen Gemeinschaften und die Vereinten Nationen seit Ende des Kalten Krieges mit der Frage einer mehr oder weniger durchgreifenden Reform konfrontiert.

## Außenpolitik im Zeichen der Globalisierung

Deutschland gehört zu den Befürwortern angemessener Reformen der internationalen Organisationen. Dafür gibt es gute Gründe: Einmal ist kein zweites vergleichbares Land politisch, wirtschaftlich und auch militärisch so umfassend in die multilaterale Zusammenarbeit eingebunden. Zum anderen trägt die deutsche Außenpolitik der enorm gestiegenen Verantwortung Rechnung, die Deutschland auf Bit-

 **Engagement in internationalen Organisationen**

 **Europäische Union**

Deutschland gehörte 1957 zu den sechs Gründungsmitgliedern der heutigen EU. Seit 2007 besteht diese aus 27 Staaten, in 15 ist der Euro offizielle Währung. Deutschlands Beitrag zum EU-Haushalt von 115,5 Milliarden Euro beträgt 22,1 Milliarden Euro (2007). Günter Verheugen ist Vizepräsident der EU-Kommission und Kommissar für Unternehmen und Industrie. **www.eu.int**

**Vereinte Nationen**

Die Staatenverbindung wurde 1945 mit dem Ziel gegründet, den Weltfrieden zu schützen. Mit 192 Staaten gehören fast alle Staaten den VN an. Deutschland ist seit 1973 VN-Mitglied und nach den USA und Japan der drittgrößte Beitragszahler. Seit 1996 ist Deutschland einer der Sitzstaaten der Vereinten Nationen; in Bonn ist unter anderem das Klimasekretariat UNFCCC ansässig. **www.un.org**

 **NATO**

Die Nordatlantische Allianz wurde 1949 gegründet. Dem Verteidigungsbündnis gehören 26 Staaten an, Deutschland ist seit 1955 NATO-Mitglied. Die Bundeswehr beteiligt sich seit März 1999 am NATO-geführten Einsatz im Kosovo mit ca. 2230 stationierten Soldaten (Ende 2007) sowie an der NATO-geführten Operation in Afghanistan mit ca. 3140 Soldaten. Sitz der NATO ist Brüssel. **www.nato.int**

ten der Völkergemeinschaft heute international übernimmt. Darüber hinaus ist die Herausbildung einer eigenen europäischen Sicherheitsidentität für die deutsche Außenpolitik ein wesentlicher Beitrag zur Stärkung und Stabilisierung des europäischen Pfeilers der NATO. Als im Dezember 2004 die NATO die Führung der fortan als EUFOR firmierenden Truppe in Bosnien-Herzegowina in die Verantwortung der **ESVP** (Europäische Sicherheits- und Verteidigungspolitik) übergab und sich die Europäer damit erstmals anschickten, einen Brandherd im Wesentlichen aus eigenen Mitteln und aus eigener Kraft selbst unter Kontrolle zu halten, war das eine Etappe im transatlantischen Wandlungsprozess. Die Verantwortung, die die EU auf dem Balkan zu übernehmen bereit ist, drückt sich auch in der 1800 internationale Mitarbeiter umfassenden zivilen EULEX-Mission aus, die zum Aufbau rechtsstaatlicher Strukturen im Kosovo beitragen soll.

Den neuen außenpolitischen Spielraum, den Deutschland aufgrund der Wiederherstellung der staatlichen Einheit 1990 erlangt hatte, nutzte die Bundesregierung erst nach der Jahrtausendwende – wenn es auch zunächst nicht danach aussah: Die deutsche Stellungnahme nach den Terroranschlägen des 11. September 2001 kam nicht nur umgehend, Kanzler Schröder ging auch so weit

### ESVP/GASP

Ein gemeinsames Vorgehen auf dem Gebiet der Außen- und Sicherheitspolitik soll es den EU-Mitgliedsstaaten ermöglichen, bei internationalen Krisen und Konflikten schneller zu reagieren, außenpolitisch mit einer Stimme zu sprechen und ihre internationalen Interessen wirkungsvoller durchzusetzen. Im Rahmen der Gemeinsamen Außen- und Sicherheitspolitik (GASP) entwickelt die EU eine Europäische Sicherheits- und Verteidigungspolitik (ESVP). Für humanitäre Aufgaben, Rettungseinsätze, friedenserhaltende Maßnahmen und Kampfeinsätze stellen die Mitgliedsstaaten innerhalb von 60 Tagen Streitkräfte von bis zu 60 000 Mann zur Verfügung. Seit Januar 2007 sind pro Halbjahr zwei „Battlegroups" (Schnelle Eingreiftruppen) von jeweils zirka 1500 Soldatinnen und Soldaten einsatzbereit.

 **OSZE**

Mit 56 Teilnehmerstaaten ist die Organisation für Sicherheit und Zusammenarbeit in Europa (OSZE) ein umfassendes Forum für die gesamteuropäische Zusammenarbeit. OSZE-Missionen sind operativ vor allem bei der Prävention und Bewältigung von Konflikten aktiv; Deutschland beteiligt sich finanziell und personell in erheblichem Maße.
**www.osce.org**

**WTO**

WTO OMC

Die Welthandelsorganisation (WTO), gegründet 1995, dient der Durchführung der bestehenden Abkommen über den internationalen Handel und ist ein Forum für Verhandlungen zur Liberalisierung des Welthandels. Deutschland setzt sich im Rahmen der Welthandelsrunde nachdrücklich für eine bessere Eingliederung der Entwicklungsländer in den Welthandel ein. **www.wto.org**

 **IWF**

Kernaufgabe des Internationalen Währungsfonds (IWF) in Washington, D. C., ist es, die makroökonomische Stabilität der 185 Mitgliedsstaaten zu fördern. Deutschland ist mit einem Kapitalanteil von 6,0 Prozent einer der wichtigen Anteilseigner des IWF und wirkt über einen deutschen Exekutivdirektor an den Entscheidungen des Gremiums mit.
**www.imf.org**

*Die NATO – zentrales Forum der Sicherheit und Zusammenarbeit*

**ISAF**
Anfänglich handelte es sich bei dem Einsatz der Internationalen Schutztruppe für Afghanistan grundsätzlich um einen Kampfeinsatz. Mit seinen Urteilen vom April 1993 und vom Juni 1994 hatte das Bundesverfassungsgericht in Karlsruhe den Weg auch für solche Einsätze der Bundeswehr freigemacht; seit Dezember 2004 regelt das Parlamentsbeteiligungsgesetz die Kompetenzen des Bundestages in diesen Fällen. Die ISAF unterstützt heute im Auftrag der VN die afghanische Regierung bei der Herstellung und Wahrung der inneren Sicherheit und der Auslieferung von Hilfsgütern.

**Gregor Schöllgen**
Der Historiker lehrt an der Universität Erlangen-Nürnberg Neuere und Neueste Geschichte und hatte unter anderem Gastprofessuren in Oxford, New York und an der London School of Economics inne.

wie keiner seiner Vorgänger und versprach Amerika die „uneingeschränkte Solidarität" Deutschlands. Selbstverständlich trug die Bundesregierung auch die Entscheidung der NATO mit, die am 2. Oktober 2001 – erstmals in ihrer Geschichte – den Bündnisfall ausrief. Das darauf folgende deutsche Engagement am Hindukusch hatte mit der Bonner Afghanistan-Konferenz und ihren Vereinbarungen über die rechtlichen und politischen Grundlagen für eine Übergangsregierung eine politische Komponente, und es hatte eine militärische. So beteiligt sich die Bundeswehr seit Januar 2002 in erheblichem Umfang an der **ISAF** (Internationale Schutztruppe für Afghanistan). Insgesamt waren in den verschiedenen Missionen der Staatengemeinschaft am Anfang des Jahrzehnts bis zu zehntausend Bundeswehrsoldaten im Einsatz – und das, obgleich der Umbau der Bundeswehr von der Territorialarmee zu einer flexibel einsetzbaren Streitkraft noch keineswegs abgeschlossen war. Diese Bereitschaft zur Übernahme umfassender Verantwortung war zugleich ein entscheidendes Argument, als es darum ging, die Nichtteilnahme am Irak-Feldzug des Jahres 2003 zu begründen. Dass die deutsche Außenpolitik dieser Lage Rechnung tragen und souverän Prioritäten setzten konnte, wirft ein Licht auf die neue Rolle, die dem Land zugewachsen ist.

Zugleich fördert die deutsche Außenpolitik die Schaffung zivilgesellschaftlicher Strukturen; sie engagiert sich bei der Bewältigung von Katastrophen, bei der Durchsetzung von Demokratie und Menschenrechten, im Anti-Terror-Kampf. Tatsächlich nutzt Deutschland seine neue Rolle auch zur Durchsetzung und Sicherung der Menschenrechte, des Friedens und des Dialogs – im Nahen Osten wie in anderen Konfliktregionen. Dass Deutschland diese Rolle ausfüllen kann, liegt an dem Vertrauen, das über Jahrzehnte angesammelt und sorgfältig verwaltet wurde. Nicht am Vernichtungswerk des Dritten Reiches wird die deutsche Politik gemessen, sondern an ihren Aufbau- und Integrationsleistungen. Ohne diese Erkenntnis hätten die Alliierten die Deutschen kaum in die „Freiheit" entlassen. Deutschland hat gezeigt, dass es mit der Verantwortung umzugehen vermag. ●

## Deutschland in Europa

*Von Josef Janning*

KANN SICH EIN LAND, das zu allen Seiten Grenzen mit anderen europäischen Staaten teilt, kann sich Deutschland mit seinen neun Nachbarn leisten, keine aktive Europapolitik zu betreiben? Die Antwort liegt auf der Hand: In der Zentrallage im Schnittpunkt der heutigen Europäischen Union (EU) haben die Deutschen ein besonderes Interesse an friedlicher und guter Nachbarschaft. Als bevölkerungsreichster und zugleich wirtschaftlich starker wie zentral gelegener Staat besitzt das vereinte Deutschland ein vorrangiges Interesse an der Einbindung in die europäische Integration und der Fortentwicklung wie Ausdehnung dieses Rahmens.

*Deutschland und Europa: Die Einbindung in ein vereintes Europa ist im Grundgesetz festgehalten*

Ein vitales Europa liegt im nationalen Interesse Deutschlands: Der Integrationsprozess hat sich in der Vergangenheit als eine geeignete Rahmenbedingung zur Absicherung von Frieden, Wohlstand und Sicherheit erwiesen. Deutschland hat über die gemeinsame Politik feste Partner in

### Entwicklungspolitik

Deutsche Entwicklungspolitik als Baustein einer globalen Struktur- und Friedenspolitik will dazu beitragen, die Lebensbedingungen in den Partnerländern zu verbessern. Sie konzentriert sich darauf, soziale Gerechtigkeit zu schaffen, die wirtschaftliche Leistungsfähigkeit zu verbessern sowie politische Stabilität durch Frieden, Menschenrechte, Demokratie und Gleichberechtigung zu erreichen. Der Schutz der Umwelt ist ein zentrales Anliegen.

Die Leitlinien und Konzepte entwickelt das Bundesministerium für wirtschaftliche Zusammenarbeit und Entwicklung (BMZ). Mit rund 70 Partnerländern arbeitet das BMZ zusammen. Eine Schwerpunktregion ist Afrika, da hier die größten Anstrengungen zur Verwirklichung der Millenniumsziele nötig sind. Unter der EU-Ratspräsidentschaft und dem gleichzeitigen G 8-Vorsitz Deutschlands im Jahr 2007 konnte erreicht werden, dass die Partnerschaft mit Afrika einen zentralen Platz sowohl in der Europäischen Union als auch der G 8 einnimmt. Aber auch andere Regionen, wie zum Beispiel Lateinamerika, werden weiterhin von Deutschland unterstützt.

Die Bundesrepublik Deutschland bekennt sich zu den Verpflichtungen der Millenniumserklärung, dem Monterrey-Konsensus und dem Aktionsplan von Johannesburg. Bis zum Jahr 2010 soll daher mindestens 0,51 Prozent bis 2015 sogar 0,7 Prozent des Bruttonationaleinkommens für die öffentliche Entwicklungszusammenarbeit aufgebracht werden.

**www.bmz.de**

**Europäische Integration**
Der Europäische Einigungsprozess ist eines der zentralen Anliegen der deutschen Außenpolitik. Die Mitwirkung der Bundesrepublik an einem vereinten Europa hat schon das Grundgesetz festgehalten. Mit der Aufnahme Bulgariens und Rumäniens 2007 ist die Europäische Union auf 27 Mitgliedsstaaten angewachsen. Beitrittsverhandlungen wurden mit der Türkei und Kroatien aufgenommen. Die Ehemalige Jugoslawische Republik Mazedonien ist offizieller, die übrigen westlichen Balkanstaaten sind potenzielle Beitrittskandidaten.

seinen Nachbarn gefunden und mit Europa sowohl seine Einheit wiedererlangt als auch Achtung und Stimme in der Welt gewonnen. Für die Deutschen ist so der friedliche Interessenausgleich mit den Nachbarn und der Welt zum Erfolgsrezept der Integration Europas geworden. Die deutsche Ratspräsidentschaft im ersten Halbjahr 2007 hat diese Bedeutung einmal mehr unterstrichen. Bundeskanzlerin Merkel und Außenminister Steinmeier wussten das Ansehen und Vertrauen in Europa für eine Lösung der institutionellen Krise zu nutzen. Deutschland hat die Grundlage für den Vertrag von Lissabon gelegt und die Zustimmung aller EU-Mitglieder für eine Stärkung der EU in den Fragen der Entscheidungsfähigkeit, der Politikgestaltung und der Institutionen gewonnen.

Im März 2007 jährte sich der Abschluss der Römischen Verträge zum fünfzigsten Mal. Mit diesen Verträgen zum Aufbau einer Europäischen Wirtschaftsgemeinschaft begann 1957 die Erfolgsgeschichte der **europäischen Integration**. Anders als die ersten Schritte von der Montanunion bis

## Der Vertrag von Lissabon

Die Staats- und Regierungschefs der EU haben im Dezember 2007 in Lissabon den Vertrag zur Reform der Europäischen Union unterzeichnet. Der Vertrag von Lissabon soll nach der Ratifizierung in allen Mitgliedsländern im Jahr 2009 in Kraft treten. Er stellt die EU auf eine neue vertragliche Grundlage und soll sie demokratischer, transparenter und effizienter machen.

Der Vertrag sieht tief greifende Reformen vor. So soll künftig ein hauptamtlicher Präsident des Europäischen Rates die Kontinuität des Unionshandelns stärken. EU-Beschlüsse werden dadurch erleichtert, dass künftig in vielen Fällen der Zwang zur Einstimmigkeit entfällt. Die Entscheidungen mit qualifizierter Mehrheit werden auf mehrere Dutzend neue Bereiche ausgedehnt. Für Entscheidungen des Rates wird von 2014 an grundsätzlich die „doppelte Mehrheit" gelten. Danach erfordern

EU-Beschlüsse im Ministerrat eine Mehrheit von 55 Prozent der Staaten, die 65 Prozent der Bevölkerung auf sich vereinen (Übergangsregelung bis 2017). Der rotierende Vorsitz in den Ministerräten bleibt in Form einer 18-monatigen Teampräsidentschaft aus drei Mitgliedsstaaten erhalten. Die Zahl der Kommissare wird von 2014 an auf zwei Drittel der Zahl der Mitgliedsstaaten reduziert. Außerdem wird es einen „Hohen Vertreter der Union für Außen- und Sicherheitspolitik" geben, der zuständig für die Außenbeziehungen der Gemeinschaft sein wird. Der Reformvertrag stärkt auch Demokratie und Grundrechtsschutz durch den Ausbau der Rolle des Europäischen Parlaments, die Einbindung der nationalen Parlamente am europäischen Gesetzgebungsprozess und die Grundrechte-Charta, die rechtsverbindlich wird (für Großbritannien und Polen gelten Ausnahmeregeln).

## Die Organe der Europäischen Union

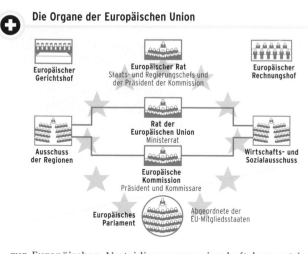

**Europäischer Gerichtshof**

**Europäischer Rat** Staats- und Regierungschefs und der Präsident der Kommission

**Europäischer Rechnungshof**

**Rat der Europäischen Union** Ministerrat

**Ausschuss der Regionen**

**Wirtschafts- und Sozialausschuss**

**Europäische Kommission** Präsident und Kommissare

**Europäisches Parlament** — Abgeordnete der EU-Mitgliedsstaaten

### Europäischer Rat

Der Europäische Rat legt die allgemeinen politischen Leitlinien der Europäischen Union fest. Im Europäischen Rat kommen mindestens zweimal jährlich die Staats- und Regierungschefs der Mitgliedsstaaten sowie der Kommissionspräsident zusammen.

zur Europäischen Verteidigungsgemeinschaft konzentrierten sich die Römischen Verträge nicht auf die Kontrolle früher kriegswichtiger Industrien wie Kohle und Stahl oder die Bündelung der Verteidigungskräfte. Im Mittelpunkt stand vielmehr die Entwicklung der Wirtschaften Westeuropas durch eine Vertiefung der Zusammenarbeit und die Förderung des Handels unter den Gründern. Der Grundgedanke der Entscheidung von 1957 wirkt heute noch fort – die Römischen Verträge bildeten die Basis einer Zollunion und der gemeinsamen Handelspolitik der EU. In der Logik der Verträge lag die Entwicklung eines Gemeinsamen Marktes ohne Handelshemmnisse. Diese Entscheidung bestimmte die Entwicklungsdynamik der europäischen Einigung wohl stärker als jede politische Erklärung der vergangenen Jahrzehnte: Das Ziel des Gemeinsamen Marktes erforderte eine ordnungspolitische Instanz – die **Europäische Kommission** als über den Interessen der Staaten angesiedelte Verwaltung und Hüterin der Verträge. Er erforderte die Beseitigung der Binnengrenzen im Sinn einer vollen Freizügigkeit von Waren, Dienstleistungen, Kapital und Arbeit – das Programm zur Vollendung des Binnenmarktes 1992. Auf der Basis dieses Marktes entstand die Notwendigkeit seiner währungspolitischen Sicherung – dies führte über zahlreiche

### Europäische Kommission

Die Europäische Kommission mit Sitz in Brüssel ist ein politisch unabhängiges supranationales Organ, das die Interessen der gesamten EU vertritt und wahrt. Die EU-Kommission hat ein Vorschlagsrecht (Initiativrecht) für alle gemeinschaftlichen Rechtsakte, als „Hüterin der Verträge" achtet sie auf die Einhaltung des Gemeinschaftsrechts und verfügt zudem über exekutive Befugnisse, beispielsweise beim Haushalt oder dem Kartellrecht. Schließlich vertritt sie die Gemeinschaftsinteressen nach außen. An der Spitze der Kommission steht der Kommissionspräsident, seit 2004 ist dies José Manuel Barroso aus Portugal. Einer der Vizepräsidenten ist der Deutsche Günter Verheugen. Jeder Mitgliedsstaat ist mit einem Kommissionsmitglied vertreten. Die Aufteilung der Aufgaben der Kommissare folgt dem Kollegialprinzip – das heißt: Jedem Mitglied sind bestimmte Aufgaben zugeschrieben.

# Etappen europäischer Einigung

Über fünfzig Jahre europäischer Einigung sind eine Erfolgsgeschichte der besonderen Art. Sie haben einem Kontinent, auf dem seit Jahrhunderten fast jeder Staat gegen jeden Krieg geführt hatte, dauerhaft Frieden und Wohlstand gebracht

**1950**
Am 9. Mai verkündet der französische Außenminister **Robert Schuman** seinen Plan, Europa friedlich zu einigen

**1958**
Die Römischen Verträge treten in Kraft. Die Gemeinschaften EWG, EURATOM und EGKS haben zwei gemeinsame Organe: den Gerichtshof und die Parlamentarische Versammlung. Sie hat zu diesem Zeitpunkt 142 Abgeordnete und nennt sich von 1962 an **Europäisches Parlament**

**1967**
Aus Rat und Kommission, die bis dahin noch für jede der drei Gemeinschaften getrennt aufgetreten waren, werden **einheitliche Organe**

**1979**
Die Abgeordneten des **Europäischen Parlaments** werden zum ersten Mal direkt gewählt

1950   1960   1970

**20. Jh.**

**1951**
Belgien, die Bundesrepublik Deutschland, Frankreich, Italien, Luxemburg und die Niederlande unterzeichnen in Paris den Vertrag zur Gründung der **Europäischen Gemeinschaft für Kohle und Stahl** (EGKS)

**1957**
In Rom unterzeichnen die sechs EGKS-Staaten die Verträge zur Gründung der **Europäischen Wirtschaftsgemeinschaft** (EWG) und der Europäischen Atomgemeinschaft (EURATOM), die als die **Römischen Verträge** bekannt geworden sind

**1973**
Die Europäische Gemeinschaft wächst von sechs auf neun Staaten: **Dänemark, Großbritannien** und **Irland** treten ihr bei

**2003**
Der Konvent zur Zukunft Europas legt einen Entwurf des Vertrages über eine **Verfassung** für Europa vor

**2004**
Die **Ost-Erweiterung** der EU: Am 1. Mai treten Estland, Lettland, Litauen, Polen, Tschechien, die Slowakei, Slowenien, Ungarn sowie Malta und Zypern der EU bei. Mit mehr als 450 Millionen Einwohnern und einer Wirtschaftskraft von 10,7 Billionen Euro ist die EU damit der größte Binnenmarkt der Welt. Am 29. Oktober 2004 unterzeichnen die Staats- und Regierungschefs in Rom den Vertrag über eine Verfassung für Europa

**2001**
Mit dem **Vertrag von Nizza** bereitet sich die Europäische Union auf die Aufnahme von zehn weiteren Beitrittsländern vor. Er sieht zudem neue Regeln für die Organe der Europäischen Union und ihre Funktionsweise vor

**2005**
Am 29. Mai und 1. Juni stimmt die Bevölkerung in Frankreich und den Niederlanden gegen den Verfassungsvertrag. Die negativen Referenden lösen eine Reflexionsphase über die Zukunft der Union aus. Im Oktober nimmt die Europäische Union Beitrittsverhandlungen mit der **Türkei** und **Kroatien** auf

**1992**
Durch den **Vertrag von Maastricht** wird die Europäische Union (EU) gegründet. Das „Gemeinschaftssystem" erstreckt sich seitdem auch auf die Zusammenarbeit zwischen den Regierungen der Mitgliedsstaaten auf den Gebieten „Gemeinsame Außen- und Sicherheitspolitik" sowie „Justiz und Inneres"

**1981**
Die Gemeinschaft wird nach Süden erweitert: **Griechenland** wird Mitglied

| 1990 | 2000 | 2010 |
|---|---|---|

**21. Jh.**

**1986**
Mit der Einigung auf die **Einheitliche Europäische Akte** wird die Grundlage für die Vollendung des Binnenmarkts und für den Einstieg in die Europäische Politische Zusammenarbeit geschaffen. Die „Süd-Erweiterung" wird 1986 mit den Beitritten von **Spanien** und **Portugal** fortgesetzt

**2007**
Europa hat jetzt 27 Mitgliedsstaaten: Am 1. Januar werden **Bulgarien** und **Rumänien** in die Europäische Union aufgenommen. Im Dezember unterzeichnen die Staats- und Regierungschefs den **Vertrag von Lissabon**, der die gescheiterte EU-Verfassung ersetzen soll

**1995**
Die Gemeinschaft wächst auf 15 Staaten: **Finnland, Österreich** und **Schweden** treten bei

**1999**
Der **Euro** wird offiziell in elf Mitgliedsstaaten als Buchgeld eingeführt, 2002 kommt er auch als Bargeld in Umlauf. Im Mai tritt der **Vertrag von Amsterdam** in Kraft. Die Befugnisse des Europäischen Parlaments werden erneut bedeutend erweitert

**Euro**

Der Euro ist die Währung der Europäischen Währungsunion und nach dem US-Dollar der zweitwichtigste Vertreter im Weltwährungssystem. Die geldpolitische Verantwortung für den Euro trägt die Europäische Zentralbank (EZB) in Frankfurt am Main zusammen mit den nationalen Notenbanken. In 15 der 27 EU-Staaten ist der Euro mittlerweile offizielle Währung. Der Euro wurde in der „Eurozone", darunter auch in Deutschland, am 1. Januar 2002 als Bargeld eingeführt, nachdem er schon seit Anfang 1999 als Buchgeld fungierte.

Etappen bis hin zum **Euro**, der 2002 als Bargeld eingeführt wurde. Die institutionellen Folgen dieser wirtschaftlichen Verflechtung setzten die Impulse für die verschiedenen Reformetappen der Integration – vom Ausbau der Kommission und dem Einstieg in Mehrheitsentscheidungen im Rat der Europäischen Union (siehe S. 87) über die Direktwahl des Europäischen Parlaments und die Ausweitung der gemeinschaftlichen Zuständigkeiten bis zu den großen Vertragsreformen in den Verträgen von Maastricht, Amsterdam und Nizza. So ist auch der 2007 geschlossene Vertrag von Lissabon eine Konsequenz der Römischen Verträge und Folge des sogenannten „spill over" ökonomischer Verflechtung in den politischen Raum.

Ohne die Bedeutung des politischen Zusammenwachsens Europas unterschätzen zu wollen, dürften die wirtschaftliche Dynamik der Integration und die Attraktivität des großen Marktes als das stärkste Motiv für den Beitrittswunsch

### Die Europäische Union im Überblick

**Erweiterung der Europäischen Union**
Der Europäischen Union ist es gelungen, sich von 6 auf 27 Mitglieder zu vergrößern (2007). Kroatien und die Türkei sind Bewerberländer, mit denen Beitrittsverhandlungen aufgenommen wurden. Die Ehemalige Jugoslawische Republik (EJR) Mazedonien ist offizieller, die übrigen westlichen Balkanstaaten sind potenzielle Beitrittskandidaten.

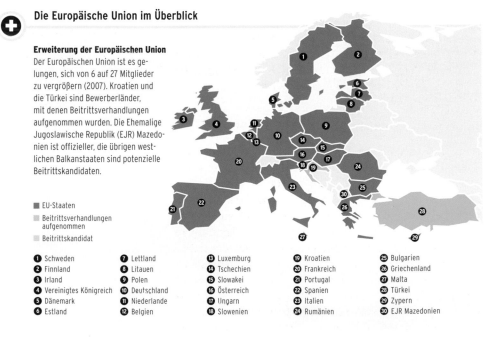

■ EU-Staaten
▪ Beitrittsverhandlungen aufgenommen
▪ Beitrittskandidat

| | | | | |
|---|---|---|---|---|
| ❶ Schweden | ❼ Lettland | ⓭ Luxemburg | ⓳ Kroatien | ㉕ Bulgarien |
| ❷ Finnland | ❽ Litauen | ⓮ Tschechien | ⓴ Frankreich | ㉖ Griechenland |
| ❸ Irland | ❾ Polen | ⓯ Slowakei | ㉑ Portugal | ㉗ Malta |
| ❹ Vereinigtes Königreich | ❿ Deutschland | ⓰ Österreich | ㉒ Spanien | ㉘ Türkei |
| ❺ Dänemark | ⓫ Niederlande | ⓱ Ungarn | ㉓ Italien | ㉙ Zypern |
| ❻ Estland | ⓬ Belgien | ⓲ Slowenien | ㉔ Rumänien | ㉚ EJR Mazedonien |

anderer europäischer Staaten anzusehen sein. Dies gilt für die Beitritte von Großbritannien, Dänemark und Irland in den siebziger Jahren, die Beitritte Griechenlands, Spaniens und Portugals in den achtziger Jahren, Österreichs, Schwedens und Finnlands in den neunziger Jahren – es gilt aber auch für den Magnetismus, mit dem die EU die neuen marktwirtschaftlichen Demokratien Ostmittel- und Südosteuropas an sich zog. Wie für die junge Bundesrepublik Deutschland in den fünfziger Jahren erwies sich für die jungen Demokratien im Süden und Osten Europas der Beitritt zur EU dabei auch als Anerkennung und Rückversicherung der politischen Leistung in der Überwindung von Diktatur und Willkürherrschaft.

Die deutsche Europapolitik hat die Vertiefung der Integration, ihre Erweiterung nach Norden, Süden und Osten wie ihren institutionellen Aufbau vorbehaltlos unterstützt. Die Stärke deutscher EU-Politik lag dabei in der Ausrichtung der deutsch-französischen Beziehungen auf die EU einerseits und der engen Verbindung gerade zu den kleineren Mitgliedsstaaten andererseits. Zahlreiche Entscheidungsblockaden und Schlüsselstationen in der EU wurden durch die Kompromissbereitschaft und den Leistungsbeitrag Deutschlands wiederholt erfolgreich überwunden.

## Deutschland – konstruktiver Partner in der EU

Auch heute kennzeichnet ein überparteilicher Konsens die Grundlinien deutscher EU-Politik. Die Deutschen wünschen ein handlungsfähiges, aber auch demokratisch verfasstes und transparentes Europa mit einem gestärkten **Europäischen Parlament**. Wie viele andere Europäer lehnen sie einen europäischen Superstaat ab und bevorzugen eine eindeutigere Abgrenzung der Zuständigkeiten. Deutschland unterstützt die mit dem Vertrag von Lissabon eingeschlagene pragmatische Linie der Integrationsentwicklung, bleibt aber an weiteren Fortschritten interessiert. Die Deutschen wissen, dass sie von Europa, vom Gemeinsamen Markt, dem Euro und von den Erweiterungen wirtschaftlich wie politisch profitieren.

**Europäisches Parlament**
Das Europäische Parlament ist das parlamentarische Organ der Europäischen Gemeinschaften. Es besteht aus 785 Abgeordneten (ab 2009, nach Inkrafttreten des Vertrags von Lissabon: 750), die durch die Bevölkerung der 27 Mitgliedsländer auf fünf Jahre direkt gewählt werden. Jedes Land besetzt aufgrund seiner Bevölkerungsgröße eine bestimmte Anzahl an Sitzen. Deutschland, als größtes EU-Mitgliedsland, entsendet derzeit 99 Abgeordnete, aus Malta, dem kleinsten Land, kommen 5 (ab 2009 erhält Deutschland 96 Sitze, die kleinsten Länder wie Malta und Luxemburg 6 Sitze). Die Europa-Abgeordneten vertreten insgesamt fast 500 Millionen Bürgerinnen und Bürger. Die Europaparlamentarier bilden unabhängig von ihrer Nationalität Fraktionen. Das Parlament verfügt über Gesetzgebungs-, Haushalts- und Kontrollbefugnisse, allerdings über kein Initiativrecht bei der Rechtsetzung. Sitz des Parlamentes ist Straßburg; Plenums- und Ausschusssitzungen finden auch in Brüssel statt.

*Die Europäische Union vor großen Herausforderungen: Bundeskanzlerin Merkel und EU-Kommissionspräsident Barroso*

**Europäische Energie- und Klimapolitik**
Die Europäische Union hat im März 2007 während der deutschen Ratspräsidentschaft die Weichen für die Energie- und Klimaschutzpolitik Europas neu gestellt. Die Staats- und Regierungschefs entschieden, bis 2020 die Energieeffizienz der EU um 20 Prozent zu erhöhen, den Anteil der erneuerbaren Energien am Verbrauch im gleichen Zeitraum auf 20 Prozent zu steigern und die Treibhausgasemissionen um mindestens 20 Prozent gegenüber 1990 zu reduzieren („20-20-20-Formel").

Die zentrale Stellung im größten einheitlichen Markt der Erde erklärt einen guten Teil der Exportstärke der deutschen Wirtschaft. Heute können zudem die Wirtschaftsbeziehungen zur ostmitteleuropäischen Nachbarschaft nach den Regeln der Integration gestaltet werden. Auf diesen Märkten ist die deutsche Wirtschaft der jeweils größte Handelspartner und zumeist der wichtigste Investor. Zugleich trägt Deutschland in besonderer Weise die Folgen der Einigung Europas. Es kann seinen ostdeutschen Markt nicht vor dem Wettbewerb der EU-Partner schützen. Deutschland trägt einen großen Teil der Infrastrukturlasten der neuen Offenheit, denn die großen Transportachsen Europas verlaufen durch Deutschland. Die Deutschen bestreiten entsprechend ihrem Bruttoinlandsprodukt zudem rund 20 Prozent des EU-Haushalts.

## Zukunftsaufgaben der EU

Zu den deutschen Anliegen in der EU zählt seit der Entwicklung der Europäischen Politischen Zusammenarbeit die Stärkung der weltpolitischen Rolle der Europäischen Union. Die Sicherheit der EU-Mitglieder vor den Bedrohungen neuer Art ist aus deutscher Sicht eine gemeinsame Aufgabe. Auf der weltpolitischen Bühne besitzt die Stimme Europas mehr Gewicht als die seiner Staaten. Wie kaum ein anderer Staat hat die Außenpolitik Deutschlands die EU als Träger und Instrument der Interessenvertretung genutzt. In der deutschen öffentlichen Meinung findet seit vielen Jahren die Auf-

 **Das Thema im Internet**

**www.auswaertiges-amt.de**
Informationen des Auswärtigen Amts mit großem Angebot, auch zu bilateralen Beziehungen (Deutsch, Englisch, Französisch, Spanisch, Arabisch)

**www.dgap.org**
Website der Deutschen Gesellschaft für Auswärtige Politik (Deutsch, Englisch)

**www.swp-berlin.org**
Wissenschaftlich interessante Website des „Think Tanks" Stiftung Wissenschaft und Politik (SWP) mit Beiträgen und Forschungsergebnissen zur Internationalen Politik und zur Sicherheitspolitik (Deutsch, Englisch)

**www.eab-berlin.de**
Die Europäische Akademie Berlin ver-

steht sich als Europäisches Kompetenzzentrum in der deutschen Hauptstadt und bietet zahlreiche hochkarätige Tagungen und Seminare an (Deutsch, Englisch)

**www.eu.int**
Informationsportal der Europäischen Union zu allen Themenfeldern der Gemeinschaft (23 Sprachen)

fassung, außen- und sicherheitspolitische Fragen besser im Verbund mit anderen anzugehen, stabile Mehrheiten. Die deutsche Europapolitik hat sich deshalb für eine Stärkung der europäischen Handlungsfähigkeit eingesetzt, die auch eine Verstärkung der gemeinsamen Außen-, Sicherheits- und Verteidigungspolitik umfasst. Dies wird mit dem Vertrag von Lissabon und der Einrichtung des Amtes eines „Hohen Vertreters der Union für Außen- und Sicherheitspolitik", der für die Außenbeziehungen der Gemeinschaft zuständig sein wird, umgesetzt. Die EU hat ein ausgeprägtes Interesse an einer vertieften Partnerschaft mit den zentralasiatischen Staaten. Die Bundesregierung hat vor diesem Hintergrund im Rahmen ihrer EU-Ratspräsidentschaft 2007 eine EU-Zentralasienstrategie auf den Weg gebracht. Erstmals bestimmen die EU-Mitglieder ihre Interessen in Bezug auf diese wichtige Region und stecken Kernpunkte einer künftigen gemeinsamen Politik ab.

Auf Deutschland und seine Partner kommen neue Herausforderungen zu. Die prägenden Koalitionen und Konstellationen der vergangenen Jahrzehnte werden sich verändern, eine neue innere Balance der Interessen und Ansprüche wird erforderlich und fordert die Kompromissfähigkeit der Europapolitik heraus. Auch weltwirtschaftlich gesehen verschieben sich die Gewichte. Nach außen grenzt die EU an Zonen geringerer wirtschaftlicher, politischer und gesellschaftlicher Stabilität. Dies verlangt eine vertrauensvolle, aktive Politik der Entwicklung und Partnerschaft, nicht zuletzt mit den Mittelmeeranrainerstaaten.

Europa ist nicht der Ort der kleinen Dinge. Wohlfahrt und Sicherheit, klassische und elementare Leistungsbereiche des Staates, sind heute ohne die EU nicht mehr zu erbringen. Damit gehören die Politik der Integration, ihre Verfahren und Institutionen zur Substanz und nicht zum Ornament des Politischen in Europa. Jedes große Thema der Gesellschaften auf dem Kontinent enthält zugleich eine Anfrage an den Gestaltungsbeitrag der EU, da kaum eine Frage den Zusammenhang der Europäer unberührt lässt. Im Zentrum des politischen Europa bleibt die Europäische Union für Deutschland ein vorrangiges Handlungsfeld seiner internationalen Politik. ●

**Rat der Europäischen Union**
Der Rat, häufig „Ministerrat" genannt, ist das wichtigste gesetzgeberische Gremium der EU. Jedes Mitgliedsland entsendet einen Fachminister. Der Rat und das Europäische Parlament teilen sich die Legislativbefugnisse und die Verantwortung für den EU-Haushalt. Außerdem schließt der Rat internationale Abkommen ab, die von der Kommission ausgehandelt wurden. In einigen Politikbereichen müssen die Beschlüsse einstimmig gefasst werden. Ansonsten beschließt der Rat mit qualifizierter Mehrheit. Die Stimmgewichtung richtet sich nach der Einwohnerzahl eines Landes, jedoch haben die kleineren Staaten eine überproportionale Stimmenzahl. Von den insgesamt 345 Stimmen verfügt Deutschland über 29. Der Vorsitz – die Ratspräsidentschaft – wechselt alle sechs Monate. Zu den institutionellen Änderungen durch den Vertrag von Lissabon ab 2009 siehe Seite 80.

**Josef Janning**
Der Politikwissenschaftler und Europaexperte ist Mitglied der Geschäftsleitung der Bertelsmann Stiftung.

# 6

# Wirtschaft

Daimler, Siemens, Porsche, Lufthansa, SAP. Deutsche Unternehmen genießen international einen ausgezeichneten Ruf. Sie stehen für das weltweit als Qualitätssiegel geachtete „Made in Germany". Sie stehen für Innovation, Qualität und technischen Vorsprung. Doch die drittgrößte Volkswirtschaft der Erde, das sind nicht nur die „Global Player", sondern auch zahlreiche Weltmarktführer aus dem Mittelstand, dem Herzstück der deutschen Wirtschaft. Sie alle bauen auf gute wirtschaftliche Rahmenbedingungen im „Land der Ideen" und auf die ausgezeichnete Qualifikation der Arbeitnehmerinnen und Arbeitnehmer. Auch ausländische Investoren schätzen dies – als Standortvorteil in Zeiten der globalen Wirtschaft.

*Die Zukunft des Automobil-
baus: In der „Gläsernen
Manufaktur" von VW in
Dresden zu bestaunen*

# Der Wirtschaftsstandort Deutschland

*Von Thomas Straubhaar*

DEUTSCHLAND ZÄHLT ZU DEN AM HÖCHSTEN entwickelten Industrienationen der Welt und ist nach den USA und Japan die drittgrößte Volkswirtschaft. Mit 82,3 Millionen Einwohnern ist Deutschland auch der größte und wichtigste Markt in der Europäischen Union (EU). Im Jahr 2007 wurde in Deutschland ein Bruttoinlandsprodukt (BIP) von 2423 Milliarden Euro erwirtschaftet, was einer Summe von 29455 Euro pro Kopf entspricht. Diese Leistung beruht vor allem auf dem Außenhandel. Mit einem Exportvolumen von 969 Milliarden Euro (2007), mehr als einem Drittel des Bruttonationaleinkommens, ist Deutschland weltweit der größte Exporteur von Gütern. 2007 wurde Deutschland zum fünften Mal in Folge „Exportweltmeister". Dadurch ist Deutschland wie kaum ein anderes Land wirtschaftlich global ausgerichtet und stärker als viele andere Länder mit der Weltwirtschaft verflochten. Mehr als jeder vierte Euro wird im **Export** von Waren und Dienstleistungen verdient – mehr als jeder fünfte Arbeitsplatz hängt vom Außenhandel ab. Die wichtigsten Wirtschaftszentren in Deutschland sind das Ruhrgebiet (Industrieregion im Wandel zum Hightech- und Dienstleistungszentrum), die Großräume München und Stuttgart (Hightech, Automobil), Rhein-Neckar (Chemie), Frankfurt am Main (Finanzen), Köln, Hamburg (Hafen, Airbus-Flugzeugbau, Medien), Berlin und Leipzig.

In jüngster Zeit hat die deutsche Wirtschaft einen robusten konjunkturellen Aufschwung erlebt – im Jahr 2007 wuchs sie um 2,5 Prozent. Mit 8,4 Prozent fiel der Anstieg

**Export**
Ein klarer Hinweis auf die Wettbewerbsfähigkeit der deutschen Unternehmen ist die seit 1991 deutlich gestiegene Exportquote der wichtigsten Exportbranchen. Allein im Maschinenbau nahm die Exportquote zwischen 1991 und 2006 von 52 Prozent auf 77 Prozent zu, in der Chemieindustrie stieg sie von 50 Prozent auf über 70 Prozent, in der Automobilindustrie von 43 Prozent auf 72 Prozent und in der Elektroindustrie von 31 auf 47. Insgesamt liegt die Exportquote bei 35 Prozent; Deutschlands Anteil am gesamten Welthandel beträgt neun Prozent.

---

**Wirtschaftspolitik**
Die Gestaltung und Koordinierung der Wirtschafts- und Finanzpolitik ist gemäß dem föderalen System eine gemeinsame Aufgabe von Bund, Ländern und Gemeinden. Sie wirken in verschiedenen Gremien zusammen. Darüber hinaus wird die Bundesregierung von unabhängigen Wirtschaftswissenschaftlern beraten. Jedes Jahr im Januar legt die Bundesregierung dem Bundestag und dem Bundesrat den Jahreswirtschaftsbericht vor. Er beschreibt unter anderem die für das laufende Jahr von der Bundesregierung angestrebten wirtschafts- und finanzpolitischen Ziele und die Grundzüge der geplanten Wirtschafts- und Finanzpolitik. Eine Voraussetzung für das Funktionieren des Wirtschaftslebens in Deutschland ist der freie Wettbewerb, der durch das Gesetz gegen Wettbewerbsbeschränkungen geschützt wird.

der Unternehmensinvestitionen zudem besonders deutlich aus. Mit dem Wirtschaftswachstum, das von Wachstumsimpulsen sowohl aus dem Ausland als auch aus dem Inland profitiert, geht eine Verminderung der Zahl der arbeitslos gemeldeten Menschen einher. Im Dezember 2007 lag sie bei 3,4 Millionen – das war der niedrigste Dezember-Stand seit 1992. Für diese positive wirtschaftliche und arbeitsmarktpolitische Entwicklung gibt es eine Reihe von Faktoren. Die **Wirtschaftspolitik** hat die so genannten Rahmenbedingungen verbessert und die Unternehmen haben ihre Wettbewerbsfähigkeit gesteigert. So wurden die Lohnzusatzkosten gesenkt, der Arbeitsmarkt flexibilisiert und Bürokratie abgebaut. Außerdem trat 2008 die Reform der Unternehmenssteuer in Kraft. Damit werden die Firmen weiter deutlich entlastet. Die Unternehmer haben gleichzeitig Einkaufs- und Kostenstrukturen optimiert, in innovative Produkte investiert und sich fit für den Wettbewerb gemacht.

## Auslandsinvestitionen: Attraktiver Standort

Aus Sicht **internationaler Investoren** gehört Deutschland zu den attraktivsten Standorten weltweit. Das ergeben jüngste Umfragen unter internationalen Managern sowie Studien

### Die Wirtschaft in Zahlen und Fakten

**Deutschland auf Platz 3 in der Weltwirtschaft**
USA, Japan und Deutschland sind die drei Länder an der Spitze der Volkswirtschaften

Bruttoinlandsprodukt 2006 (in Milliarden US-Dollar)

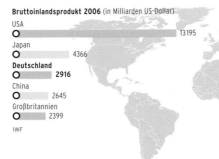

USA 13195
Japan 4366
**Deutschland** 2916
China 2645
Großbritannien 2399

IWF

**Exportweltmeister**
Der Außenhandel als Motor: Mit seinem Exportvolumen liegt Deutschland auf Platz eins

Exportvolumen (in Milliarden US-Dollar, 2006)

**Deutschland** 1112
USA 1038
China 969
Japan 650
Frankreich 490

WTO

international renommierter Beratungsunternehmen. In einer Studie von 2007 hat die Prüfungs- und Beratungsgesellschaft Ernst & Young die Attraktivität des Wirtschaftsraums Europa untersucht. Demnach kann sich Deutschland aus Sicht ausländischer Manager als führender Standort in Europa behaupten. Im internationalen Standortvergleich schneidet Deutschland besonders gut bei Forschung und Entwicklung, bei der Qualifizierung seiner Arbeitskräfte und der Logistik ab. Dazu kommen die zentrale geografischen Lage, die Infrastruktur, die Rechtssicherheit und die Arbeitskräfte. Zwischen 1997 und 2006 wurden in Deutschland 473 Milliarden US-Dollar an ausländischen Direktinvestitionen getätigt, darunter Großinvestitionen von Konzernen wie General Electric oder AMD. Damit rangiert Deutschland auf Rang fünf unter den Ländern mit den größten ausländischen Direktinvestitionen.

Als wesentliches Plus wird die Qualifikation der Arbeitnehmerinnen und Arbeitnehmer betrachtet. Rund 81 Prozent der Beschäftigten verfügen über eine Berufsausbildung, 20 Prozent von ihnen haben einen Universitäts- oder Fachhochschulabschluss. Ein weiterer Pfeiler für das hohe Qualifikationsniveau ist das „duale System" der Berufsausbildung, das innerbetriebliche mit schulischer Ausbildung

**Internationale Investoren**
Ausländische Firmen schätzen die Stärken des deutschen Marktes: Rund 22 000 internationale Unternehmen sind hier ansässig, darunter die 500 größten der Welt. Zwischen 2007 und 2010 investiert allein der spanische Telekommunikationskonzern Telefónica O$_2$ Europe 3,5 Milliarden Euro in den Ausbau der Festnetz- und Mobilfunkinfrastruktur in Deutschland. Zu den großen ausländischen Investoren gehört auch der kalifornische Chiphersteller Advanced Micro Devices (AMD), der zwischen 2006 und 2009 in den Ausbau seiner Dresdner Chipfabriken weitere rund 2 Milliarden Euro investiert. 2006 flossen insgesamt 42,9 Milliarden US-Dollar Kapitalmittel ausländischer Privatunternehmen nach Deutschland. Gleichzeitig erhöhte sich die Zahl der registrierten Direktinvestitionsprojekte um 57 Prozent und damit so stark wie in keinem anderen Land Westeuropas.

**Attraktiver Standort**
Internationale Unternehmen setzen Deutschland auf die „Top-5-Liste" der Investitionsstandorte weltweit

**Die attraktivsten Investitionsstandorte** (in Prozent der Befragten)
China
○ 48
USA
○ 33
Indien
○ 26
**Deutschland**
○ 18
Russland
○ 12

Ernst & Young 2007

**Hohe Wettbewerbsfähigkeit**
In der Wettbewerbsfähigkeit liegt Deutschland auf einem Spitzenplatz: im weltweiten Vergleich auf Platz 2. Als besonders vorbildlich gelten die Durchsetzung der Eigentumsrechte und die Rechtsordnung insgesamt

**Rangliste der wettbewerbsfähigsten Länder der Welt** (BCI Index)

World Economic Forum 2007-2008

# Wirtschaftsstandort Deutschland I

Deutschland zählt zu den wichtigsten Wirtschafts-
standorten: mit guten Bedingungen für unternehmerisches Engagement, einer modernen Infrastruktur
und Forschung und Entwicklung auf hohem Niveau

**Arbeitsmarkt**
Rund 40 Millionen Menschen waren Ende
2007 in Deutschland berufstätig – und
damit mehr als je zuvor. Gleichzeitig sank
die Zahl der Arbeitslosen unter 3,5 Millionen. Die gute Konjunktur sowie eine aktive
Arbeitsmarktpolitik, die Senkung der Lohn-
nebenkosten, eine moderate Reform des
Arbeitsrechts, insbesondere beim Kündi-
gungsschutz, und verstärkte Investitionen
in die Qualifikation junger Menschen trugen zu dieser positiven Entwicklung bei

**Tarifautonomie**
Die Tarifpartner – Gewerkschaften
und Arbeitgeber oder Arbeitgeberverbände – handeln autonom Tarif-
verträge aus. Der Staat gibt die allgemeinen Arbeitsbedingungen vor,
allerdings nicht, wie viel den Arbeitnehmern zu zahlen ist. Dies und die
Regelung weiterer Fragen – wie zum
Beispiel Urlaub oder Arbeitszeiten –
wird den Tarifpartnern überlassen.
In einigen Branchen hat der Staat
allerdings die tariflich ausgehandel-
ten Mindestlöhne gesetzlich festgeschrieben

**Beschäftigungsstruktur**
Der überwiegende Teil der rund
40 Millionen Beschäftigten und
Selbstständigen in Deutschland arbeitet im Dienstleistungssektor sowie im
produzierenden Gewerbe

**Erwerbstätige nach Bereichen** (in Prozent)

Dienstleistungen
○ 47,5
Produzierendes Gewerbe
○ 25,4
Handel, Gastgewerbe, Verkehr
○ 24,9
Land- und Forstwirtschaft, Fischerei
○ 2,1
Statistisches Bundesamt

Arbeitsmarkt

Löhne

Struktur

**Arbeit und
Tarifpartner**

Interessen

**Gewerkschaften und Arbeitgebervertretungen**
Der größte Zusammenschluss von Einzelgewerkschaften ist der Deutsche Gewerkschaftsbund (DGB) mit 6,4 Millionen Mitgliedern. Der DGB
vertritt die Interessen von acht Mitgliedsgewerkschaften, die größte
ist die IG Metall. Tarifpolitischer Partner der Gewerkschaften sind die
Arbeitgeberverbände. Deren Dachorganisation, die Bundesvereini-
gung der Deutschen Arbeitgeberverbände (BDA), vertritt rund zwei
Millionen Unternehmen. Weitere Unternehmerverbände: Deutscher
Industrie- und Handelskammertag (DIHK), Bundesverband der Deutschen Industrie (BDI)

**Die größten Gewerkschaften** (in Millionen Mitgliedern)

IG Metall
○ 2,3
ver.di
○ 2,2
IG Bergbau, Chemie, Energie
○ 0,7
DGB

**Transportwege** (in Kilometer)

**Schienennetz**

| | |
|---|---|
| Deutschland | 36054 |
| Frankreich | 29269 |
| Großbritannien | 17052 |
| Italien | 16288 |

## Mobilität und Logistik

Deutschland hat eine hoch entwickelte Infrastruktur. Ein engma-
schiges Netz von mehr als 230000 Kilometern Straße, davon
rund 12000 Kilometer Autobahn, und 36000 Schienenkilometern
machen das Land zu einem Knotenpunkt des europäischen Güter-
fernverkehrs. Der Frankfurter Flughafen, größter Flughafen Konti-
nentaleuropas, sowie ein dichtes Netz weiterer Flughäfen garantieren internationale Mobilität

**Autobahnnetz**

| | |
|---|---|
| Deutschland | 12044 |
| Frankreich | 10379 |
| Großbritannien | 3609 |
| Italien | 6487 |

**Binnenschifffahrtsnetz**

| | |
|---|---|
| Deutschland | 7565 |
| Frankreich | 5372 |
| Großbritannien | 1065 |
| Italien | 1477 |

Eurostat

## Steuern und Abgaben

Deutschland ist schon lange kein
Hochsteuerland mehr. Im internationalen Vergleich ist die Belastung
durch Steuern und Abgaben unter-
durchschnittlich. Bei Einkommen und
Gewinnen erhebt Deutschland im
Verhältnis zur Wirtschaftsleistung
mit die niedrigsten Steuern der europäischen Industrieländer

**Einkommens- und Ertragssteuer**
(in Prozent des BIP, 2005)

Deutschland
9,8

Frankreich
10,4

Großbritannien
14,3

Schweiz
13,4

Schweden
19,5

USA
12,5

OECD

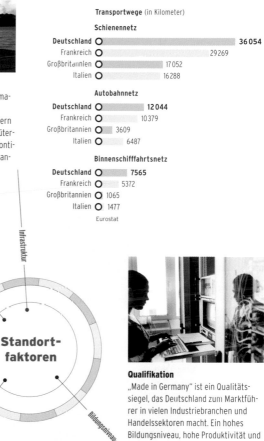

**Standort-faktoren**

Infrastruktur

Steuern

Innovation

Bildungsniveau

## Qualifikation

„Made in Germany" ist ein Qualitätssiegel, das Deutschland zum Marktführer in vielen Industriebranchen und
Handelssektoren macht. Ein hohes
Bildungsniveau, hohe Produktivität und
eine intensive Vernetzung von Industrie, Wissenschaft und Forschung
machen dies möglich

**Anteil der Bevölkerung mit höherer
Schulbildung** (2005, in Prozent)

Deutschland
83

Großbritannien
67

Frankreich
66

Italien
50

Spanien
49

OECD

## Forschung und Entwicklung

Aus Sicht ausländischer Unternehmen ist Deutschland
der attraktivste europäische Standort für Forschung und
Entwicklung. Eine Befragung der Wirtschaftsprüfungsge-
sellschaft Ernst & Young unter international tätigen
Unternehmern ergab im Jahr 2007, dass Deutschland
auch bei der Einrichtung von Forschungs- und Entwick-
lungszentren favorisiert wird

**Attraktivität für Forschung und Entwicklung in Europa**
(in Prozent der Befragten)

| | |
|---|---|
| Deutschland | 15 |
| Großbritannien | 8 |
| Frankreich | 4 |
| Niederlande | 3 |

Ernst & Young

*Interessante Perspektiven:
Für Hightech-Firmen bietet
der Standort Deutschland
gute Voraussetzungen*

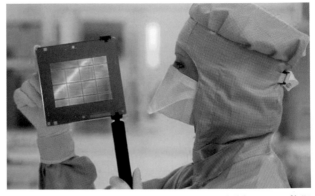

verbindet und eine anerkannt hohe Ausbildungsqualität
hervorbringt.

## Technologieführer in vielen Branchen

**Informations- und Kommunikations-
technologie (IKT)**
Deutschland ist ein führendes
IKT-Land. In 84 Prozent der
Unternehmen und 71 Prozent der
Privathaushalte ist Computer-
technik vorhanden, europaweit
liegt Deutschland weit über dem
Durchschnitt: 76 Prozent der
Bevölkerung nutzen einen PC, 69
Prozent surfen im Internet.
Deutschland ist europaweit auch
der größte Mobilfunk- und
Onlinemarkt. 94 Prozent der
Haushalte verfügen über einen
Festnetzanschluss und 81 Pro-
zent haben noch mindestens ein
Mobiltelefon. Rund 475 000 Men-
schen arbeiten in der deutschen
IKT-Branche. Der Anteil Deutsch-
lands am weltweiten Markt für
Informations- und Kommunika-
tionstechnik beträgt sechs Pro-
zent.

In vielen zukunftsträchtigen Technologien mit hohen
Wachstumsraten gehört Deutschland ebenfalls zu den führenden Nationen. Dazu zählen die Biotechnologie, die
Nanotechnologie, die Informationstechnologie und die vielen Hochtechnologiebereiche der einzelnen Sektoren (Bio-
metrie, Luft- und Raumfahrt, Elektrotechnik, Logistik). Auf
den Weltmärkten gut positioniert präsentiert sich auch die
deutsche Umwelttechnologiebranche (Windenergie, Photovoltaik, Biomasse), wobei die Windenergieanlagenherstel-
ler über einen Weltmarktanteil von 50 Prozent verfügen
(siehe Kapitel 7). Die **Informations- und Kommunikationstechno-
logie** ist nach Fahrzeugbau und Elektrotechnik/Elektronik-
industrie bereits der drittgrößte Wirtschaftszweig. In der
Bio- und Gentechnologie ist Deutschland neben den USA der
stärkste Standort und in der Nanotechnologie besitzt
Deutschland in vielen Feldern heute schon einen Wissens-
vorsprung.

Das Fundament für die internationale Wettbewerbsfähigkeit der Wirtschaft bilden dabei nicht nur die
im Deutschen Aktienindex (DAX) notierten Großunter-
nehmen wie Siemens, Volkswagen oder BASF, sondern

Zehntausende kleiner und mittelständischer Firmen (bis 500 Beschäftigte) des verarbeitenden Gewerbes, insbesondere des Maschinenbaus, der Zulieferindustrie, aber auch der wachsenden Zukunftsbereiche der Nano- und Biotechnologie, die sich häufig in **Clustern** organisieren. Der Mittelstand beschäftigt mit über 20 Millionen Menschen die meisten Arbeitnehmer und stellt zudem die überwiegende Anzahl an Ausbildungsplätzen für junge Menschen.

## Die wichtigsten Industriesektoren

Die Industrie trägt 87 Prozent (2006) zu den Gesamtausfuhren bei und ist damit der Motor des Außenhandels. Die wichtigsten Industriezweige sind der Automobilbau, die Elektrotechnik, der Maschinenbau und die chemische Industrie. Allein in diesen vier Branchen arbeiten rund 2,88 Millionen Menschen, die einen Umsatz von 767 Milliarden Euro gene-

**Cluster**
Wenn sich eine kritische Masse von Firmen in räumlicher Nähe zueinander befindet, spricht man von einem Cluster. Cluster sind Netzwerke von Produzenten, Zulieferern und Forschungseinrichtungen, die entlang einer Wertschöpfungskette gebildet werden. Vor allem mit Blick auf die Zukunftstechnologien gelten Cluster als Innovationsmotoren. Erfolgreiche Cluster sind zum Beispiel die Automobilindustrie in Baden-Württemberg, die Konzentration von Firmen im Bereich der Medizintechnik in Tuttlingen, die „Chip-Region" um Dresden oder das Biotechnologie Cluster in der Region Berlin-Brandenburg, das sich als führender Life-Science Standort in Deutschland versteht.

### Der Mittelstand, Fundament der Wirtschaft

Die deutsche Wirtschaft wird vor allem durch rund 3,6 Millionen kleine und mittlere Unternehmen sowie Selbstständige und Freiberufler geprägt. Rund 99,7 Prozent aller Unternehmen gehören dem Mittelstand an. Als mittelständische Unternehmen gelten Firmen mit einem Jahresumsatz von unter 50 Millionen Euro und mit weniger als 500 Beschäftigten. Rund 70 Prozent aller Arbeitnehmerinnen und Arbeitnehmer sind in solchen kleineren und mittleren Unternehmen beschäftigt. Der Blick in die verschiedenen Wirtschaftssektoren zeigt: 48,9 Prozent aller Mittelständler sind in der Dienstleistungsbranche aktiv, 31,4 Prozent im produzierenden Gewerbe und rund 19,7 Prozent im Handel. Die meisten Unternehmen mittelständischer Prägung sind inhabergeführt,

das heißt: Kapitalmehrheit und Firmenleitung liegen in einer Hand. Häufig werden die Unternehmen von Generation zu Generation weitervererbt. Der Anteil der Familienunternehmen an den deutschen Unternehmen liegt bei rund 95 Prozent. Fast jedes dritte Unternehmen wird mittlerweile von einer Frau geführt. Allein im Jahr 2006 sind 471 200 neue Unternehmen angetreten (bei 430 700 Liquidationen). Zur Förderung des Mittelstandes wurde 2007 ein Gesetz erlassen, das mittelständischen Unternehmen mehr Freiraum verschaffen und sie durch Bürokratieabbau und Vereinfachung von Verfahren entlasten soll. Zu den Stärken des Mittelstands zählen die schnelle Umsetzung in marktfähige Produkte, seine internationale Orientierung, sein hoher Spezialisierungsgrad und die Fähigkeit, Nischenpositionen im Markt erfolgreich zu besetzen.

rieren. Wie in allen westlichen Industrienationen vollzieht sich seit Jahren auch in der deutschen Industrie ein tiefgreifender Strukturwandel. Einige traditionelle Industriebranchen (Stahl, Textil) sind in den vergangenen Jahren durch Verlagerung der Absatzmärkte und den Druck aus Niedriglohnländern zum Teil stark geschrumpft oder wie etwa in der Pharmaindustrie durch Übernahmen und Fusionen in den Besitz ausländischer Unternehmen gelangt. Gleichwohl ist die Industrie die wichtigste Säule der deutschen Wirtschaft und hat im Vergleich zu anderen Industriestaaten wie Großbritannien oder den USA eine breite und beschäftigungsstarke Basis – acht Millionen Menschen arbeiten in Industriebetrieben.

## Automobilbau: Die stärkste Branche

Zu den bedeutenden Branchen in Deutschland gehört der Automobilbau. Jeder siebte Arbeitnehmer ist hier beschäf-

### Reformen für Wirtschaft und Gesellschaft

Den Aufschwung festigen, die Konsolidierung der Haushalte fortführen und weitere innere Wachstumskräfte der Wirtschaft freisetzen, so heißen die erklärten Ziele der Bundesregierung. Eines der Instrumente dafür ist ein Zukunftsfonds, mit dem 25 Milliarden Euro bis 2009 in die Schlüsselbereiche Verkehrsinfrastruktur, Bildung, Forschung und Technologie sowie Familienförderung investiert werden sollen. Bürokratieentlastung und eine deutliche Senkung der Steuersätze für Unternehmen sowie eine Erleichterung der Unternehmensnachfolge bei der Erbschaftsteuer sollen die Investitionsanreize stärken und die Attraktivität des Standorts im internationalen Steuerwettbewerb steigern. Daneben sind Klimaschutz, Energieversorgung, Gesundheit, Sicherheit, Mobilität die großen Herausforderungen der Gegenwart. Diesen will die Bundesregierung mit einer politikübergreifenden „Hightech-Strategie" begegnen: Wissenschaft, Wirtschaft und Politik sollen gemeinsam die technologische Leistungsfähigkeit Deutschlands steigern. In 17 „Zukunftsfeldern", wie zum Beispiel den Bio- und Nanotechnologien oder den Kommunikations- und Umwelttechnologien, sollen durch die Kooperation von Wissenschaft und Wirtschaft neue Märkte erschlossen oder bestehende ausgebaut werden. Dazu werden Gemeinschaftsprojekte von Wirtschaft und Wissenschaft gefördert. Forschungsergebnisse sollen schneller umgesetzt und unbürokratisch auf ihre wirtschaftliche Anwendbarkeit überprüft werden können. Dafür stellt die Bundesregierung bis 2009 insgesamt rund 15 Milliarden Euro bereit.

tigt; zum Export trägt die Branche 17 Prozent bei. Mit den sechs Herstellern VW, Audi, BMW, Daimler, Porsche und Opel (General Motors) ist Deutschland neben Japan und den USA zudem der größte Autoproduzent der Welt. Rund sechs Millionen Neuwagen laufen jährlich in deutschen Automobilwerken vom Band; im Ausland produzieren die deutschen Autobauer noch einmal 5,5 Millionen Fahrzeuge. Die technischen **Innovationen** der Fahrzeuge „Made in Germany" werden von den Kunden besonders geschätzt. Intensiv arbeiten alle Automobilhersteller inzwischen an umweltfreundlichen Antrieben wie einer neuen Generation von Dieselmotoren, Hybridantrieben und einer weiteren Elektrifizierung des Antriebsstrangs.

*Moderne Produktion*
*für Produkte der Spitzenklasse:*
*Im BMW-Werk in Leipzig*
*wird Flexibilität großgeschrieben.*
*In der Fabrik laufen die*
*Maschinen bis zu 140 Stunden*
*in der Woche*

## Elektro und Chemie: Innovativ und international

Die Unternehmen der Elektrotechnik- und der Elektronikindustrie sind in unterschiedlichsten Bereichen, von Elektro-

 **Innovationen für die Zukunft**

In allen Schlüsselindustrien der Zukunft sind deutsche Unternehmen und Forscher erfolgreich engagiert. Als „die" Zukunftstechnologie schlechthin gilt die Nanotechnologie. Sie beschäftigt sich mit der Forschung und Konstruktion in sehr kleinen Strukturen - ein Nanometer entspricht einem millionstel Millimeter. Die Nanotechnologie erarbeitet die Grundlagen für immer kleinere Datenspeicher mit immer größerer Speicherkapazität, zum Beispiel für photovoltaische Fenster oder für Werkstoffe, aus denen sich in der Automobilindustrie ultraleichte Motoren und Karosserieteile fertigen lassen. Grob geschätzt besitzen die USA und Europa etwa gleich viele Unternehmen mit Bezug zur Nanotechnologie. Etwa die Hälfte der in Europa ansässigen Firmen stammt aus Deutschland. Auch auf dem Gebiet der Biotechnologie sind bereits mehr als 600 deutsche Unternehmen erfolgreich tätig. Hier geht es unter anderem um die Entwicklung neuer Methoden und Verfahren in der Biomedizintechnik, der Biomaterialforschung, der Lebensmittelindustrie, bei der Schädlingsbekämpfung oder um innovative Ansätze in der pharmazeutischen und chemischen Industrie. Mit einem Welthandelsanteil von 19 Prozent beim Export von Umweltschutzgütern und der Spitzenposition bei der Anmeldung von Umweltschutzpatenten beim Europäischen Patentamt nimmt Deutschland auch eine führende Stellung in der Umwelttechnologie ein. Um diese Positionen weiter auszubauen, investiert die Bundesregierung bis 2010 sechs Milliarden Euro in Forschung und Entwicklung von „Zukunftstechnologien".

# Wirtschaftsstandort Deutschland II

Mit 160 internationalen Branchenmessen ist Deutschland ein wichtiger „Marktplatz" für Waren und Güter. Die Märkte bestimmen auch die Börsenwerte und den „Markenwert"

### Die größten Industrieunternehmen
Wer sind die „Größten" im Lande? Mit über 151 Milliarden Euro Umsatz (2006) lag DaimlerChrysler deutlich vor seinem Konkurrenten Volkswagen. (Ende 2007 hat sich Daimler von Chrysler getrennt.) Betrachtet man die Zahl der Beschäftigten, liegt Siemens vorne. Mit 475 000 Beschäftigten ist das Unternehmen der größte private Arbeitgeber in Deutschland

**Die größten deutschen Industrieunternehmen nach Umsatz 2006** (in Millionen Euro)

DaimlerChrysler AG
151589

Volkswagen AG
104875

Siemens AG
87325

E.ON AG
64197

BASF-Gruppe
52610

BMW Group
48999

ThyssenKrupp AG
47125

Robert Bosch GmbH
43684

RWE AG
42871

Deutsche BP AG
41569

F.A.Z.-Archiv

### Börse und Banken
Frankfurt am Main ist der führende Bankenstandort in Kontinentaleuropa mit über 100 der „Top-500-Bankinstitute". Die Stadt ist Sitz der Europäischen Zentralbank (EZB), der Bundesbank und der Frankfurter Wertpapierbörse. Die großen deutschen Unternehmen werden im Deutschen Aktien Index (DAX) gehandelt. Die größte Bank Deutschlands ist die Deutsche Bank mit einer Bilanzsumme von 1126 Milliarden Euro und rund 69 000 Mitarbeitern

### Die deutschen Top-Marken
Mercedes, BMW, SAP, Siemens, Volkswagen, Adidas-Salomon und Porsche gehören zu den weltweit am höchsten bewerteten Marken. Im internationalen Ranking der wertvollsten Marken des Jahres 2007 (Business Week) sind deutsche Unternehmen zehnmal vertreten und damit nach den USA die zweitstärkste Gruppe bei den Top 100 der globalen Trademarks

**Unternehmen · Finanzen · Marken · Dienstleistung**

**Best of Germany**

### Die großen Dienstleister
Die Deutsche Telekom AG (61,3 Milliarden Euro) und die Deutsche Post AG (60,5 Milliarden Euro) liegen deutlich an der Spitze der umsatzstärksten Dienstleistungsunternehmen. Mit 520 000 Beschäftigten ist die Deutsche Post außerdem der größte Arbeitgeber in diesem Wirtschaftssektor. Die Deutsche Bahn, das Touristikunternehmen TUI und die Deutsche Lufthansa mit einem Umsatz von 20 Milliarden Euro und rund 95 000 Beschäftigten sind die nächstgrößeren

**Die größten Dienstleistungsunternehmen nach Umsatz** (in Millionen Euro, 2006)

Dt. Telekom AG
61347

Deutsche Post AG
60545

Deutsche Bahn AG
30053

TUI AG
20515

Deutsche Lufthansa
19849

F.A.Z.-Archiv

## CeBIT

Digitale Welten: Mit mehr als 6000 Ausstellern, davon 50 Prozent aus dem Ausland, und 280 000 Quadratmeter Ausstellungsfläche gilt die alljährlich im Frühjahr stattfindende CeBIT in Hannover seit vielen Jahren als Leitmesse im Konzert der weltweiten Informationstechnologie-Messen
**www.cebit.de**

### IAA

Blickpunkt Mobilität: Die Internationale Automobil-Ausstellung (IAA) in Frankfurt am Main ist mit vielen Weltneuheiten und mit fast einer Million Besuchern die größte und wichtigste Automobilfachmesse weltweit. Sie findet alle zwei Jahre statt (2009)
**www.iaa.de**

**CeBIT**

## Hannover Messe

Leistungsschau der Industrie: An der Hannover Messe beteiligen sich regelmäßig mehr als 6400 Aussteller aus rund 70 Ländern. Sie machen die Messe jährlich im April zu einem der wichtigsten Technologieereignisse – von der Prozessautomation über Pipeline-Technologien bis in den Bereich der Mikrosystemtechniken reicht das Spektrum
**www.hannovermesse.de**

### Internationale Funkausstellung

Branchenvertreter der Unterhaltungs- und Kommunikationselektronik treffen sich auf der jährlich stattfindenden Internationalen Funkausstellung (IFA) in Berlin. Mit mehr als 1200 Ausstellern und über 220 000 Besuchern versteht sich die IFA als Schaufenster für innovative Unterhaltungselektronik
**www.ifa-berlin.de**

**Messeland Deutschland**

Informationstechnologie
Automobil
Industrie
Elektronik
Organisation
Tourismus

## AUMA

Der Ausstellungs- und Messe-Ausschuss der Deutschen Wirtschaft (AUMA) ist der Spitzenverband der deutschen Messebranche. Seine zentrale Aufgabe ist es, die deutschen Messe im In- und Ausland zu stärken. Der AUMA koordiniert auch die Auslandsmesseaktivitäten der deutschen Wirtschaft unter anderem für die jährlich rund 230 von der Bundesregierung unterstützten Exportplattformen. Die im AUMA zusammengeschlossenen Veranstalter organisieren außerdem pro Jahr über 200 eigene Messen in wichtigen ausländischen Wachstumsregionen
**www.auma-messen.de**

### ITB

Reisefieber: Die Internationale Tourismus-Börse ITB Berlin ist der Name für die führende Fachmesse der internationalen Tourismus-Branche. Zur ITB kommen jedes Jahr mehr als 10 000 Aussteller – davon 80 Prozent aus dem Ausland – und mehr als 175 000 Besucher
**www.itb-berlin.de**

*32 500 Forscher und Entwickler in über 30 Ländern: Siemens gilt als die Innovationsschmiede der deutschen Wirtschaft*

geräten über Messtechnik bis hin zur Chip-Produktion, aktiv. Der hohe Innovationsgrad der Branche spiegelt sich auch in der Höhe der Forschungsaufwendungen wider. Sie lagen 2006 bei 9,4 Milliarden Euro. Allein Siemens hat 2006 fast 1500 internationale Patente angemeldet und liegt damit weltweit auf dem dritten Platz. Die Chemieindustrie gehört ebenfalls zu den Vorzeigebranchen und stellt überwiegend Vorleistungsgüter her. Mit der BASF in Ludwigshafen kommt der weltgrößte Chemiekonzern ebenfalls aus Deutschland.

### Dienstleistungen: Der größte Sektor

Fast 28 Millionen Menschen arbeiten im weitesten Sinne im sich dynamisch entwickelnden Dienstleistungssektor – rund zwölf Millionen davon bei privaten und öffentlichen Dienstleistungsunternehmen, nahezu zehn Millionen in Handel, Gastgewerbe und Verkehr sowie sechs Millionen in Finanzierung, Vermietung und Unternehmensdienstleistung. Auch diese Branche ist zu gut 40 Prozent durch kleine und mittelständische Unternehmen geprägt. Private und öffentliche Dienstleistungsunternehmen sind an der gesamten Bruttowertschöpfung von 2094 Milliarden Euro bereits mit 468 Milliarden Euro beteiligt (2006); Unternehmen aus den Bereichen Finanzierung, Vermietung und Unternehmensdienstleistung zusätzlich mit 618 Milliarden Euro. Eine wichtige Säule im Dienstleistungssektor bilden die Unternehmen des Banken- und Versicherungswesens. Sie konzentrieren sich in Frankfurt am Main, wo auch die Europäische Zentralbank (EZB), die Hüterin des Euro, die Bundesbank und die Deutsche Börse ansässig sind.

Eine Branche rückt immer mehr in den Vordergrund: die Kulturwirtschaft. Der auch als Kreativwirtschaft bekannte Sektor umfasst die Teilbranchen Musik, Literatur, Kunst, Film und darstellende Künste, aber auch Rundfunk/TV, Presse, Werbung, Design und Software. Obwohl noch keine einheitliche statistische Erhebung vorliegt, haben sich die „Creative Industries" in vielen Regionen, wie zum Beispiel in Berlin, zu einem stabilen Wirtschaftsfaktor entwickelt.

**Ostdeutschland holt auf**

**Produktivität**
BIP je Erwerbstätige,
in jeweiligen Preisen

|  | Alte Länder | Neue Länder |
|---|---|---|
| 1991 | 45235 | 20150 |
| 2006 | 61417 | 48277 |

**Anlageinvestitionen**
je Einwohner in Euro

|  | Alte Länder | Neue Länder |
|---|---|---|
| 1991 | 4800 | 3300 |
| 2006 | 4800 | 4000 |

Bundesministerium für Wirtschaft und Technologie

## Forschung und Entwicklung als Motor

Als so genanntes Hochlohnland ist es für die deutschen Unternehmen besonders wichtig, der Konkurrenz qualitativ einen Schritt voraus zu sein. Rund 2,5 Prozent seines Brutto-

### Aufbau Ost

Mit der Wiedervereinigung der beiden deutschen Teilstaaten 1990 stand Deutschland vor einer Herausforderung, die einmalig in der Geschichte ist. Ziel ist die Angleichung der Lebensverhältnisse in Ost und West. Da nahezu die gesamte ostdeutsche Industrie veraltet war, bedurfte es riesiger Anstrengungen, sie zu modernisieren. Seit der Wiedervereinigung wurden jährlich rund 80 Milliarden Euro transferiert, was etwa drei Prozent des Bruttoinlandsprodukts Gesamtdeutschlands entspricht. Dennoch gestaltet sich der Konvergenzprozess langfristiger als gedacht.

Inzwischen hat sich in den fünf neuen Bundesländern ein kleiner, aber leistungsfähiger Industriesektor in verschiedenen Hochtechnologiezentren

gebildet, so genannte „Leuchtturm-Regionen", etwa in Dresden, Jena, Leipzig, Leuna und Berlin-Brandenburg. Mittlerweile ist das verarbeitende Gewerbe der neue Wachstumsmotor. Die Produktionszuwächse sind weiterhin hoch. Da die Lohnstückkosten unter dem westdeutschen Durchschnitt liegen und nahezu ausschließlich modernste Technik eingesetzt wird, ist in diesem Sektor der Standard der alten Bundesländer fast erreicht. Das verfügbare Einkommen pro Einwohner betrug 2005 etwa 14400 Euro (18500 Euro in den alten Bundesländern) und hat sich gegenüber 1991 verdoppelt. Trotzdem bleibt die Bekämpfung der Arbeitslosigkeit in Ostdeutschland eine Herausforderung. Der 2005 in Kraft getretene Solidarpakt II sichert mit 156 Milliarden Euro die weitere Entwicklung und besondere Förderung der neuen Länder bis 2019 finanziell ab.

### Soziale Marktwirtschaft

Das Grundgesetz als Verfassung der Bundesrepublik Deutschland schreibt keine bestimmte Wirtschaftsordnung vor, schließt aber eine reine, freie Marktwirtschaft durch die Verankerung des Sozialstaatsprinzips aus. Seit Gründung der Bundesrepublik Deutschland 1949 bildet die Soziale Marktwirtschaft die Basis der deutschen Wirtschaftspolitik. Sie ist der Versuch eines Mittelweges zwischen einer reinen Marktwirtschaft und dem Sozialismus. Entwickelt und umgesetzt wurde die Soziale Marktwirtschaft von Ludwig Erhard, dem ersten Wirtschaftsminister und späteren Bundeskanzler. Ihr Grundkonzept basiert auf dem Prinzip der Freiheit einer Marktwirtschaft, ergänzt um sozialpolitische Ausgleichsmaßnahmen. Danach soll auf der einen Seite das freie Spiel der Kräfte auf dem Markt grundsätzlich ermöglicht werden. Auf der anderen Seite garantiert der Staat ein soziales Netz zur Absicherung von Risiken.

inlandsproduktes gibt Deutschland daher zurzeit für Forschung und Entwicklung (F & E) aus, was deutlich über dem EU-Durchschnitt von 1,8 Prozent (2006) liegt. Bis zum Jahr 2010 will die Bundesregierung die Ausgaben für Forschung und Entwicklung auf drei Prozent des Bruttoinlandsprodukts steigern. Mit rund 45 Milliarden US-Dollar hat Deutschland auch einen Spitzenplatz bei den unternehmensfinanzierten Ausgaben für Forschung und Entwicklung inne. Auch der Erfindergeist ist ungebrochen: Im Jahr 2006 haben Investoren und Unternehmen aus Deutschland allein über 11,7 Prozent der weltweiten Patente angemeldet – Platz drei der Weltrangliste.

### Erfolgreich: Deutschland in der Weltwirtschaft

Wegen der hohen Exportorientierung ist Deutschland an offenen Märkten interessiert. Die wichtigsten Handelspartner sind Frankreich, die USA und Großbritannien. Nach Frankreich sind 2006 Güter und Dienstleistungen im Wert von 85 Milliarden Euro exportiert worden, in die USA im Wert von 78 Milliarden Euro und nach Großbritannien im Wert von 65 Milliarden Euro. Seit den Ost-Erweiterungen der EU (2004 und 2007) ist neben dem Handel mit den „alten" EU-Staaten ein starker Aufschwung des Handelsvolumens mit den osteuropäischen EU-Mitgliedsländern erkennbar. Insgesamt werden gut zehn Prozent aller Exporte in diese Länder getätigt.

### Das Thema im Internet

**www.invest-in-germany.de**
Die Bundesagentur Invest in Germany GmbH stellt grundlegende Rechts- und Wirtschaftsinformationen sowie Branchendaten bereit, koordiniert Standortauswahlprozesse in Zusammenarbeit mit lokalen Partnern und hilft Unternehmern bei der Kontaktaufnahme zu den richtigen Ansprechpartnern (in sechs Sprachen)

**www.ixpos.de**
Ixpos gibt einen Überblick über Themen der deutschen Außenwirtschaftsförderung (Deutsch)

**www.bmwi.de**
Von Qualitätsmanagement bis E-Commerce bietet die Website des Bundeswirtschaftsministeriums Informationen (Deutsch, Englisch, Französisch)

**www.german-business-portal.info**
Dieses Service- und Informationsangebot des BMWI wendet sich gezielt an internationale Interessenten (Englisch)

**www.ahk.de**
Die Website der Auslandshandelskammern informiert deutsche Firmen, die im Ausland investieren wollen (Deutsch, Englisch)

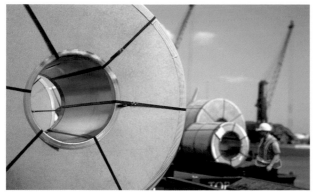

Kontinuierlich wächst die Bedeutung von Handels- und Wirtschaftsbeziehungen zu den asiatischen Schwellenländern wie China und Indien. Lagen die deutschen Exporte in die Region 1993 noch bei 33 Milliarden Euro, so stiegen sie inzwischen um mehr als das Dreifache auf 104 Milliarden Euro (2006). Die Zahl deutscher Unternehmen in Asien stieg in der gleichen Zeit von 1800 auf 3500, die Direktinvestitionen haben sich in dieser Zeit mehr als vervierfacht.

## Wirtschaftsordnung: Leistung und soziale Balance

Deutschland ist eine **Soziale Marktwirtschaft,** das heißt: Der Staat garantiert freies wirtschaftliches Handeln, bemüht sich jedoch um einen sozialen Ausgleich. Auch aufgrund dieses Konzeptes ist Deutschland ein Land mit hohem sozialem Frieden, was sich in äußerst seltenen Arbeitskämpfen widerspiegelt. Im Durchschnitt der Jahre 1996 bis 2005 wurde in Deutschland je 1000 Beschäftigte an nur 2,4 Tagen gestreikt und damit sogar weniger als in der Schweiz mit durchschnittlich 3,1 Streiktagen. Die Sozialpartnerschaft von Gewerkschaften und Arbeitgebern ist durch die institutionalisierte Konfliktregelung im Rahmen des kollektiven Arbeitsrechts festgeschrieben. Das Grundgesetz sichert die Tarifautonomie, die den Sozialpartnern das Recht zubilligt, Arbeitsdingungen eigenverantwortlich in Tarifverträgen zu regeln. •

**Thomas Straubhaar**
Der Schweizer Wirtschaftsprofessor ist Direktor des Hamburgischen WeltWirtschafts-Instituts (HWWI) und einer der bekanntesten Ökonomen in Deutschland.

# 7

# Umwelt, Klima, Energie

Zu den größten umweltpolitischen Herausforderungen des 21. Jahrhunderts gehören die Veränderungen der Atmosphäre und des Klimasystems. Der zum größten Teil durch menschliches Handeln verursachte Klimawandel ist die globale Herausforderung schlechthin. Deutschland unternimmt seit vielen Jahren Anstrengungen zur Vermeidung von Treibhausgas-Emissionen durch vorausschauende nationale Klimaschutzpolitik und die Förderung erneuerbarer Energien und der Energieeffizienz. International übernimmt Deutschland in der Klima- und Energiepolitik eine Vorreiterrolle und will ehrgeizige Reduktionsziele realisieren.

*Um das Klima zu retten,
sind erneuerbare Energien
unverzichtbar. Im Energiemix
der Zukunft spielen sie
eine wichtige Rolle*

# Wege zu einer modernen und nachhaltigen Klima- und Energiepolitik

*Von Joachim Wille*

DER SCHUTZ VON UMWELT UND KLIMA zählt zu den globalen Herausforderungen des 21. Jahrhunderts und genießt in der deutschen Politik, in Publizistik und Zivilgesellschaft einen hohen Stellenwert. Deutschland gilt international als eine der Vorreiternationen beim Klimaschutz und als Pionier beim Ausbau erneuerbarer Energien. Auch im globalen Rahmen setzt sich die Bundesregierung aktiv für den Umweltschutz, für klimafreundliche Entwicklungsstrategien und Energie-Kooperationen ein. Das Sekretariat, das die Umsetzung der **Klimarahmenkonvention** der Vereinten Nationen begleitet, hat seinen Sitz in der Bundesstadt Bonn. Seit 1990 hat Deutschland seine Treibhausgas-Emissionen um fast 20 Prozent vermindert und kommt damit seinen aus dem Kyoto-Protokoll erwachsenen Verpflichtungen einer Verminderung von 21 Prozent bis 2012 bereits sehr nahe. Im globalen Klimaschutzindex 2008 der unabhängigen Umweltschutzorganisation „Germanwatch" liegt Deutschland auf Platz zwei. Schon seit vielen Jahren verfolgt Deutschland einen Weg, der Klima- und Umweltschutz im Sinne nachhaltigen Wirtschaftens zusammenführt. Der Schlüssel dazu ist eine Doppelstrategie zur Steigerung der Energie- und Ressourceneffizienz sowie zum Ausbau erneuerbarer Energien und nachwachsender Rohstoffe. Dies fördert die Entwicklung innovativer Energietechnologien sowohl auf der Angebotsseite, bei Kraftwerken sowie den erneuerbaren Energien, als auch auf der Nachfrageseite, dort, wo Energie verbraucht wird, zum Beispiel bei Haushaltsgeräten, Autos oder Gebäuden.

**Klimarahmenkonvention**
Global stellen die Klimarahmenkonvention (UNFCCC) der Vereinten Nationen und das daran angeschlossene Kyoto-Protokoll die einzig völkerrechtlich verbindlichen Regelungen zum Klimaschutz dar. Die derzeit 189 Vertragsstaaten der Rahmenkonvention treffen sich jährlich auf der VN-Klimakonferenz. Die bekannteste dieser Konferenzen fand 1997 im japanischen Kyoto statt und brachte als Ergebnis das Kyoto-Protokoll hervor. Hierin wurde die Reduktion der Treibhausgas-Emissionen aller industrialisierten Staaten auf ein bestimmtes Niveau festgeschrieben. Derzeit läuft der so genannte Post-Kyoto-Prozess an, in dem über die Klimaschutzpolitik für die Jahre 2012 bis 2020 verhandelt wird.

*„Windkraft-Weltmeister"
Deutschland: Kein anderes
Land produziert ähnlich viel
Strom aus Windkraft*

**Treibhausgas-Emission**
Etwa zwei Drittel des von Menschen verursachten (anthropogenen) Treibhauseffekts sind auf den Ausstoß von Kohlendioxid ($CO_2$) zurückzuführen. Das Klimagas entsteht bei der Verbrennung der fossilen Energieträger Gas, Öl und Kohle. Sie alle enthalten Kohlenstoff (C), der sich mit dem Luftsauerstoff ($O_2$) zu $CO_2$ verbindet. Durch energiebedingte anthropogene Aktivität gelangen nach Studien der Internationalen Energieagentur (IEA) jährlich über 26 Milliarden Tonnen $CO_2$ in die Atmosphäre. Außer Kohlendioxid gehören zu den im Kyoto-Protokoll reglementierten Treibhausgasen Lachgas, Methan, Fluorkohlenwasserstoffe und Schwefelhexalfluorid.

Der Naturschutz („Schutz der natürlichen Lebensgrundlagen") ist seit 1994 als Staatsziel im Artikel 20a des Grundgesetzes verankert. Eine intakte Natur, reine Luft und saubere Gewässer sind Voraussetzungen für eine hohe Lebens- und Umweltqualität in Deutschland. Bei Luft- und Gewässerreinhaltung zeigen die Umweltindikatoren in eine positive Richtung, weil viele Emissionen in den vergangenen Jahren deutlich reduziert wurden. Die **Treibhausgas-Emissionen** des Straßenverkehrs sind – trotz erheblich gestiegenen Verkehrsaufkommens – seit 1999 rückläufig und lagen 2005 etwa auf dem Niveau von 1990. Für die etwa fünfzigprozentige Reduzierung der Stickoxid-Emissionen ist unter anderem die Ausstattung der Kfz mit Fahrzeugkatalysatoren verantwortlich. Die Schwefeldioxid-Emissionen der Stein- und Braunkohlekraftwerke konnten durch die gesetzlich vorgeschriebene Rauchgasentschwefelung um 90 Prozent entscheidend gemindert werden. Gesunken ist in den vergangenen Jahren auch der tägliche Pro-Kopf-Verbrauch an Trinkwasser von 144 Liter je Einwohner auf 126 Liter, das entspricht dem zweitniedrigsten Verbrauch aller Industriestaaten.

Sowohl in den Privathaushalten als auch bei Verkehr und Industrie bilden fossile Energien nach wie vor das Rückgrat des Energiemix: Mit einem Anteil von 36 Prozent ist das Mineralöl der wichtigste Primärenergieträger, gefolgt von Erdgas, Steinkohle, Kernenergie und Braunkohle. Die nur im Stromsektor genutzte Atomenergie (Anteil: rund 25 Prozent) läuft nach einem im Jahr 2000 zwischen der Bundesregierung und den Elektrizitätsversorgern geschlossenen „Atomkonsens" schrittweise aus.

## Zukunftsweisend und effizient: Erneuerbare Energien

Vor dem Hintergrund der wissenschaftlich eindringlich beschriebenen Folgen des Klimawandels (Temperaturanstieg, Fluten, Dürren, beschleunigtes Abschmelzen der Eiskappen, aussterbende Arten) und dem weltweit stetig ansteigenden Verbrauch fossiler Energieträger gewinnen die erneuerbaren, klimafreundlichen Alternativen zunehmend an Bedeutung. Wind, Wasser, Sonne, Biomasse und Erdwärme sind unbegrenzt verfügbar und erzeugen keine klimaschädigenden Emissionen. Der Anteil erneuerbarer Energien am gesamten deutschen Energieverbrauch beträgt inzwischen 8,4 Prozent (2007), der Anteil am Stromverbrauch sogar 14 Prozent und er soll bis 2020 systematisch auf 25 bis 30 Prozent ausgebaut werden. Mit knapp 30 Prozent an der globalen Windleistung gilt Deutschland als „Windkraft-Weltmeister". Die Photovoltaik, mit der Sonnenstrahlen in Strom verwandelt werden, zeigt ebenfalls ein rasches Entwicklungs- und Innovationstempo; Biokraftstoffe wie Biodiesel und Bioethanol werden in steigenden Mengen dem Treibstoff beigemischt.

### Erfolgreich und vorbildhaft: Staatliche Förderpolitik

Die schon zu Beginn der 1990er-Jahre in Gang gesetzte Förderpolitik macht die Nutzung erneuerbarer Energien attraktiv und wirtschaftlich. Das **Erneuerbare-Energien-Gesetz** (EEG), ein

**Erneuerbare-Energien-Gesetz**
Das Erneuerbare-Energien-Gesetz (EEG) soll den Ausbau von Energieversorgungsanlagen vorantreiben, die aus sich erneuernden Quellen gespeist werden. Ziel ist es, den Anteil der erneuerbaren Energien am Stromverbrauch von derzeit 14,3 Prozent auf einen Zielkorridor von 25 bis 30 Prozent im Jahr 2020 zu erhöhen. Das EEG garantiert den Produzenten eine Vergütung zu festen Sätzen. Das 2000 in Kraft getretene Gesetz gehört zu einer Reihe von Maßnahmen, mit denen die Abhängigkeit von fossilen Energieträgern und von Energieimporten aus dem Raum außerhalb der EU verringert werden soll. Das deutsche EEG wurde von 47 Staaten in seinen Grundzügen übernommen.

### Naturschutz und biologische Vielfalt

Rund 45 000 Tierarten und über 30 000 Arten der höheren Pflanzen, Moose, Pilze, Flechten und Algen sind in Deutschland heimisch. Der Naturschutz ist in Deutschland ein offizielles Staatsziel, seit 1994 auch verankert im Artikel 20a des Grundgesetzes. Tausende Naturschutzgebiete sind in Deutschland ausgewiesen worden, zudem 14 Nationalparke und ebenso viele Biosphären-Reservate. Überdies ist Deutschland an neun globalen, elf regionalen und fast 30 zwischenstaatlichen Abkommen und Programmen beteiligt, die Naturschutz als Ziel anstreben. In Johannesburg haben sich die Staats- und Regierungschefs verpflichtet, bis zum Jahr 2010 die gegenwärtige Verlustrate an biologischer Vielfalt signifikant zu reduzieren; die EU war bei ihrem Gipfel in Göteborg (2001) mit dem Beschluss, den Verlust bis 2010 zu stoppen, noch ehrgeiziger. Die 9. Vertragsstaatenkonferenz der Biodiversitätskonvention fand 2008 in Bonn statt. Trotzdem bleibt noch viel zu tun. Rund 40 Prozent der Tierarten und 20 Prozent der Pflanzenarten in Deutschland gelten als gefährdet. Einige der Gründe: Zerstörung und Zerschneidung von Lebensräumen durch Siedlungs- und Straßenbau, Intensivierung von Land- und Fortwirtschaft, Schadstoff-Belastung und Überdüngung. Kontinuierlich angestiegen ist in den vergangenen Jahren der Anteil der ökologisch bewirtschafteten Flächen in Deutschland; er lag im Jahr 2006 bei 4,9 Prozent und soll mittelfristig auf 20 Prozent anwachsen. Die Verbraucher schätzen Produkte aus ökologischem Landbau; Ende 2007 waren insgesamt 42 825 Produkte bei der Informationsstelle Bio-Siegel, dem staatlichen Öko-Kennzeichen, angezeigt.

**Energie- und Klimaschutzprogramm**
Mit einem integrierten Energie- und Klimaprogramm will die Bundesregierung den deutschen Treibhausgas-Ausstoß bis 2020 um 40 Prozent senken. Das Programm umfasst Maßnahmen in 29 Feldern und reicht von der Förderung der Kraft-Wärme-Kopplung (Anlagen, die zugleich Strom und Wärme herstellen) und der erneuerbaren Energien bis hin zur weiteren Entwicklung der Carbon Capture and Storage Technologie (CCS), also der Abscheidung und Speicherung des im Kraftwerksprozess anfallenden Kohlendioxids. Mit dem Klimaschutzprogramm will die Bundesregierung drei zentrale Ziele verfolgen: Energieversorgungssicherheit, Wirtschaftlichkeit und Umweltverträglichkeit.

Marktanreizprogramm zur Förderung der Nutzung erneuerbarer Energien, gilt als Motor des Aufschwungs klimafreundlicher Energieträger und ist von vielen Ländern in seinen Grundzügen übernommen worden. Der stärkere Einsatz erneuerbarer Energien und eine effizientere Energienutzung bilden auch den Kern des Ende 2007 von der Bundesregierung verabschiedeten integrierten **Energie- und Klimaschutzprogramms**. Ziel des mehrstufigen Klimaprogramms ist es, die wirtschaftliche Entwicklung weiter von den Emissionen abzukoppeln, die Energieeffizienz deutlich zu erhöhen und die Energieversorgungssicherheit zu gewährleisten. Das Klimapaket soll dafür sorgen, dass die $CO_2$-Emissionen bis 2020 um 40 Prozent gegenüber 1990 gesenkt werden. Mit diesem selbstgesteckten Ziel hat sich Deutschland weltweit an die Spitze gestellt; es gibt kein vergleichbares Industrieland mit einem ähnlich ambitionierten und konkret ausgestalteten Programm.

### Innovativ und exportstark: Grüne Technologien

Diese Maßnahmen dienen nicht nur dem Schutz der Umwelt, sondern auch dem Aufbau einer innovativen und beschäftigungsstarken Zukunftsindustrie, die über eine hohe internationale Wettbewerbsfähigkeit verfügt und zuneh-

## Umwelt und Energie in Zahlen und Fakten

**Treibhausgas-Reduktion: Europa kommt voran**
Die EU muss die Treibhausgas-Emissionen noch um rund 11,5 Prozent vermindern, um gegenüber 1990 eine Reduktion von 20 Prozent zu erreichen. Damit steht die EU im Vergleich gut da

EU-27 — 11,5 %
Japan — 24,9 %
USA — 30,9 %
Australien — 36,0 %
Kanada — 36,8 %

UNFCCC, IEA/OECD, Global Wind Energy Council, BEE

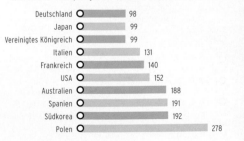

**Energieintensität: Effizientes Deutschland**
Mit einem Energieaufwand von 98 Kilogramm Öleinheiten kann in Deutschland eine Wertschöpfung in der Industrie von 1000 US-Dollar erzielt werden

Deutschland — 98
Japan — 99
Vereinigtes Königreich — 99
Italien — 131
Frankreich — 140
USA — 152
Australien — 188
Spanien — 191
Südkorea — 192
Polen — 278

mend auf Auslandsmärkten aktiv wird. Aus Deutschland stammen inzwischen jede dritte Solarzelle und fast jedes zweite Windrad. 2007 waren mehr als 250 000 Menschen im Bereich der erneuerbaren Energien beschäftigt. Hinzu kommen rund eine Million weiterer Arbeitsplätze in der Umwelttechnik – wie Wasserreinhaltung, Filtertechnik, Recycling und Renaturierung. Auch Unternehmen, die sich in Zeiten steigender Energiepreise mit Effizienztechnologien beschäftigen (Kraftwerke mit höherem Wirkungsgrad, gekoppelte Erzeugung von Elektrizität und Wärme, energieeffizienter Hausbau, energetische Gebäudesanierung, verbrauchsarme Pkw), gelten ebenfalls als Jobmotoren. Nach Angaben der Internationalen Energieagentur (IAE) liegt Deutschland schon heute in der Spitzengruppe jener Staaten, die mit relativ geringem Energieaufwand eine umfangreiche Wirtschaftsleistung erbringen. Einer Studie der renommierten Unternehmensberatung Roland Berger zufolge kann die Umweltbranche bis zum Jahr 2020 mehr Menschen beschäftigen als die heute noch beschäftigungsstarken Industriezweige Maschinenbau und Autoindustrie. Zwei Drittel der Bevölkerung sind zudem davon überzeugt, dass konsequente Umweltpolitik sich positiv auf die Wettbewerbsfähigkeit der Wirtschaft auswirkt.

*Jobmotor Umwelttechnologie: Schon in 15 Jahren soll die Umweltbranche einer der wichtigsten Beschäftigungssektoren sein*

**„Windkraft-Weltmeister": Deutschland**
Deutschland ist mit einer installierten Leistung von 20 622 Megawatt weltweit der größte Markt für Windkraft

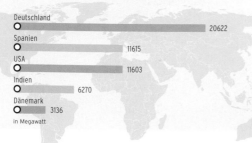

Deutschland
20622
Spanien
11615
USA
11603
Indien
6270
Dänemark
3136
in Megawatt

**Kohlendioxid: Vermiedene Emissionen**
Erneuerbare Energien reduzierten 2007 in Deutschland die $CO_2$ Emissionen um 115,3 Millionen Tonnen – Tendenz steigend

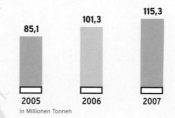

115,3
101,3
85,1
2005  2006  2007
in Millionen Tonnen

## Notwendig: Internationale Klimakooperation

Der Klimawandel, das Ozonloch oder die Verschmutzung der Meere machen vor nationalen Grenzen nicht Halt, der Schutz der Umwelt und des Klimas ist daher eine bedeutende Aufgabe der internationalen Staatengemeinschaft.

Die deutsche EU- und G8-Präsidentschaft im Jahr 2007 haben **Klimaschutzziele** und die Energiepolitik daher zu einem ihrer Hauptanliegen gemacht. Der Europäische Rat mit seinen anspruchsvollen Beschlüssen zur Reduzierung von Treibhausgas-Emissionen im März 2007 und die Erklärung des G8-Gipfels in Heiligendamm, in der die Staats- und Regierungschefs zusicherten, das Ziel einer Halbierung des Ausstoßes von Treibhausgas-Emissionen bis 2050 „ernsthaft zu prüfen", waren wichtige Schritte hin zu einer globalen Antwort auf den Klimawandel. Die EU will demnach den Ausstoß von Treibhausgasen wie $CO_2$ bis 2020 um mindestens 20 Prozent gegenüber 1990 verringern – beziehungsweise um 30 Prozent, sofern sich andere Industrieländer zu vergleichbaren Reduzierungen verpflichten. Der Anteil an erneuerbaren Energien soll auf 20 Prozent steigen und der Energieverbrauch durch verbesserte Energieeffizienz um 20 Prozent sinken. Ein effizientes und zielgenaues Instrument zur Zielerreichung soll der Emissionshandel mit $CO_2$-Verschmutzungsrechten für Industrie und Stromversorger werden, den die EU seit 2005 erprobt und der rund die Hälfte des Treibhausgas-Ausstoßes abdeckt.

**Klimaschutzziele der EU**
Anfang 2008 hat die EU-Kommission ihre Vorschläge zur Umsetzung des EU-Klima- und Energiepaktes in nationale Quoten vorgestellt. Deutschland wird zum Abbau der Treibhausgase in Europa einen überdurchschnittlichen Beitrag leisten. In den Sektoren Verkehr, Gebäude und Landwirtschaft ist für die Bundesrepublik eine Reduktion der Kohlendioxid-Emissionen bis 2020 um 14 Prozent vorgesehen. Der Anteil erneuerbarer Energien am gesamten Energieverbrauch soll in Deutschland bis 2020 von neun Prozent (2007) auf 18 Prozent verdoppelt werden.

### Das Thema im Internet

**www.bmu.de**
Das Bundesministerium für Umwelt, Naturschutz und Reaktorsicherheit (BMU) präsentiert auf seiner Website übersichtlich angeordnet die wichtigsten politischen Handlungsfelder (Deutsch, Englisch)

**www.umweltbundesamt.de**
Das Umweltbundesamt (UBA) ist die

zentrale Umweltbehörde des Bundes in nahezu allen Fragen des Umweltschutzes. Auf seiner Homepage informiert das UBA über relevante Umweltthemen (Deutsch, Englisch)

**www.pik-potsdam.de**
Das Potsdam-Institut für Klimafolgenforschung (PIK) untersucht den Klimawandel in seiner ganzen Komple-

xität: Das PIK gehört zur Leibniz-Gemeinschaft und wird je zur Hälfte vom Bund und vom Land Brandenburg gefördert (Deutsch, Englisch)

**unfccc.int**
Website der Klimarahmenkonvention der Vereinten Nationen mit entsprechenden Informationen (Englisch, Französisch, Spanisch)

Ziel der Bundesregierung ist es, auch wirtschaftlich fortgeschrittene Schwellenländer wie China, Indien, Südafrika, Brasilien und Mexiko aktiv in den Klimaschutz einzubinden. Das ist entscheidend, da die weltweiten $CO_2$-Emissionen laut Prognosen des **Klimarats der Vereinten Nationen** (IPCC) bis 2050 halbiert werden müssen, wenn die Klimaerwärmung in diesem Jahrhundert noch beherrschbar bleiben soll. Dabei gilt es zu verhindern, dass die globale Durchschnittstemperatur um mehr als zwei Grad Celsius ansteigt. Dieses Ziel wird durch das im Februar 2005 in Kraft getretene Kyoto-Protokoll nicht erreicht – darin haben sich ausschließlich die Industrieländer zu einer $CO_2$-Minderung um 5,2 Prozent bis 2012 verpflichtet. Die Bundesregierung plädiert im Rahmen des „Post-Kyoto-Prozesses" für ein Nachfolgeprotokoll mit anspruchsvolleren Reduktionsverpflichtungen. Es soll bis ins Jahr 2020 laufen und global die Trendwende schaffen.

Der Weltklimagipfel auf Bali Ende 2007 hat dafür die Grundlage geschaffen: Über 180 Länder einigten sich nach komplexen Verhandlungen auf einen Verhandlungsrahmen für ein Kyoto-Nachfolgeregime. Die Industrieländer wollen ihre Anstrengungen deutlich verstärken und erstmals wollen auch die Entwicklungs- und Schwellenländer Maßnahmen zur Kontrolle ihrer $CO_2$-Emissionen ergreifen. 2008 startet zudem ein Anpassungsfonds, der Entwicklungsländern bei der Bewältigung der Folgen der Klimaerwärmung helfen soll. Der Anpassungsfonds, den die Weltbank und der Globale Umweltfonds (GEF) verwalten, soll bis 2012 jährlich eine Summe von 300 bis 500 Millionen Dollar ausschütten. Die Weltbank hat in Zusammenarbeit mit dem Bundesentwicklungsministerium während des deutschen G8-Vorsitzes 2007 eine „Forest Carbon Partnership Facility" entwickelt, die von Deutschland mit 40 Millionen Euro unterstützt wird. Daraus sollen Entwicklungsländer eine Entschädigung erhalten, sofern sie auf das Abholzen der Tropenwälder verzichten.

Für den Weg zu einem neuen Klimaschutz-Abkommen haben sich die Staaten bis Ende 2009 Zeit gegeben; dann soll das Kyoto-Nachfolgeabkommen in Kopenhagen verabschiedet werden. ●

**VN-Klimarat**
Das Intergovernmental Panel on Climate Change (IPCC) ist eine internationale Sachverständigengruppe, in der Hunderte internationale Experten und Vertreter von über 100 Staaten für die Vereinten Nationen den Klimawandel auf der Erde analysieren und Gegenmaßnahmen vorschlagen. Der vierte Bericht des IPCC erschien 2007. Die Grundaussage: Der Mensch verstärkt den Treibhauseffekt, erhitzt den Planeten und muss entschieden gegensteuern. Aus Deutschland haben viele Wissenschaftler zum VN-Klimabericht des IPCC beigetragen. Ende 2007 wurde dem VN-Klimarat zusammen mit Al Gore der Friedensnobelpreis zugesprochen. Führende deutsche Institute, die sich mit dem Klimawandel befassen, sind das Max-Planck-Institut für Meteorologie, das Alfred-Wegener-Institut für Polar- und Meeresforschung, das Wuppertal-Institut und das Potsdam-Institut für Klimafolgenforschung.

**Joachim Wille**
ist leitender Redakteur im Ressort Politik und Reporter der Tageszeitung „Frankfurter Rundschau".

# 8

# Bildung,
# Wissenschaft,
# Forschung

Deutschland ist ein Land der Ideen.
Bildung und Wissenschaft, Forschung
und Entwicklung kommen zentrale
Bedeutung zu. In einem Europa ohne
Grenzen und einer Welt der globalisierten
Märkte liefert Bildung das Rüstzeug
dafür, die Chancen offener Grenzen und
weltweiter Wissensnetzwerke nutzen zu
können. Das deutsche Bildungs- und
Hochschulsystem befindet sich in einem
tief greifenden Erneuerungsprozess, der
jetzt erste Erfolge zeigt: Deutschland ist
eines der beliebtesten Studienländer, Ort
internationaler Spitzenforschung und
Patententwicklung.

*Innovative Forschung: Deutschland ist in vielen Zukunftstechnologien wegweisend*

# Im internationalen Wettbewerb um die besten Köpfe

*Von Martin Spiewak*

NAMEN WIE HUMBOLDT UND EINSTEIN, Röntgen und Planck begründeten den Ruf Deutschlands als **Studienland** und als Land der Ingenieure und Erfinder. Schon im Mittelalter pilgerten Scholaren aus ganz Europa an die damals neu gegründeten Universitäten in Heidelberg, Köln oder Greifswald. Später, nach der Universitätsreform durch Wilhelm von Humboldt (1767–1835), wurden die deutschen Hochschulen gar zum Ideal für die anspruchsvolle akademische Welt. Humboldt konzipierte die Universität als Ort unabhängiger Erkenntnissuche. Hier sollten Forschung und Lehre eine Einheit bilden, das heißt, nur diejenigen Professoren durften Studenten unterrichten, die ihr Fach durch eigene Forschungserfahrung durchdrungen hatten. Gleichzeitig sollten sich Professoren wie Studenten frei von jeder staatlichen Zensur allein der Wissenschaft widmen.

Wer in der Wissenschaft etwas werden wollte, musste eine Zeit lang in einem deutschen Labor oder Hörsaal gelernt haben. Anfang des 20. Jahrhunderts ging rund ein Drittel aller Nobelpreise an deutsche Wissenschaftler. Ihre Innovationen veränderten die Welt: die Relativitätstheorie und die Kernspaltung, die Entdeckung des Tuberkel-Bazillus oder der Röntgen-Strahlung.

Dass heute die USA die wichtigste Wissenschaftsnation der Erde sind, haben sie auch deutschen Forschern zu verdanken. Hunderte Gelehrte, viele von ihnen wie Albert Einstein Juden, fanden auf der Flucht vor dem Hitlerregime eine neue Heimat an einer amerikanischen Universität oder

**Studienland Deutschland**

In Deutschland besuchen zurzeit rund 1,98 Millionen Studierende eine Hochschule, davon 946 600 Frauen (48 Prozent). Es gibt 383 Hochschulen, davon 103 Universitäten und 176 Fachhochschulen. Die staatlichen Hochschulen sind Einrichtungen der Länder. Deutschland gehört – zusammen mit den USA und Großbritannien – international zu den beliebtesten Studienländern.

*Hochschulalltag: Mittlerweile gibt es fast ebenso viele Studentinnen wie Studenten*

*„Aus Tradition in die Zukunft": Die Ruprecht-Karls-Universität in Heidelberg*

einem Forschungsinstitut. Für die deutsche Forschung dagegen war ihre Emigration ein bis in die Gegenwart reichender, folgenschwerer Verlust.

## Reformen für den internationalen Wettbewerb

**Wichtige Studienabschlüsse**
Bachelor
Master
Diplom
Magister
Staatsexamen
Promotion

Die Globalisierung stellt auch die deutsche Wissenschafts- und Hochschullandschaft vor neue Herausforderungen. Mit einer Reihe von Reformen haben Politik und Hochschulen die Initiative ergriffen, um das Hochschulsystem den neuen internationalen Anforderungen anzupassen. Diese Neuerungen sind dabei, die akademische Landschaft in Deutschland grundlegend umzugestalten. Ob die Umstellung auf gestufte **Studienabschlüsse** wie **Bachelor und Master** oder die Zulassung von Studiengebühren und Auswahltests, ob das Aufkommen privater akademischer Bildungsangebote oder die verstärkte strategische Partnerschaft von Hochschulen und außeruniversitären Instituten: Kaum ein Bereich der Gesellschaft ist zurzeit so großen Veränderungen ausgesetzt wie das Bildungssystem.

**Bachelor und Master**
In der Praxis finden sich gegenwärtig noch vielfach alte und neue Studiengänge und -abschlüsse nebeneinander. Im Wintersemester 2007/08 wurden an deutschen Hochschulen 6886 Bachelor- und Master-Studiengänge angeboten, so dass 61 Prozent der Studiengänge bisher auf die neue Struktur umgestellt wurden.

Ziel der Reformen ist es, Forschung und Lehre im schärfer werdenden internationalen Wettbewerb zu stärken und die Führungsposition wiederzuerlangen. Veränderte

## Studieren in Deutschland – die wichtigsten Fakten in Zahlen

**Die beliebtesten Fächer**
Von den rund 300 000 Studienanfängern im Wintersemester 2006/07 sind rund 146 000 Frauen

Betriebswirtschaftslehre — 22 917
Maschinenbau/-wesen — 14 168
Germanistik/Deutsch — 13 086
Rechtswissenschaft — 11 664
Wirtschaftsingenieurwesen — 9645

Statistisches Bundesamt, OECD

**Attraktiv für künftige internationale Eliten**
Im WS 2006/07 besuchten rund 250 000 Auslandsstudierende eine deutsche Hochschule, rund 55 000 studierten an einer der zehn bei den internationalen Studenten beliebtesten Universitäten:

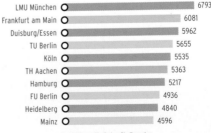

LMU München — 6793
Frankfurt am Main — 6081
Duisburg/Essen — 5962
TU Berlin — 5655
Köln — 5535
TH Aachen — 5363
Hamburg — 5217
FU Berlin — 4936
Heidelberg — 4840
Mainz — 4596

Anzahl der ausländischen Studierenden

Hochschulgesetze geben den Universitäten mehr Gestaltungsspielraum, etablierte Professoren werden stärker nach Leistung bezahlt. Die Universitäten mit den großen Namen versuchen ihr Profil zu schärfen, zusätzlich heizen verschiedene **Rankings** über die Qualität und Beliebtheit der Hochschulen den Wettbewerb an.

Diesem Ziel dient auch die sogenannte Exzellenzinitiative für die deutschen Universitäten. Fünf Jahre lang erhalten die von einer unabhängigen Expertenjury ausgewählten Hochschulen knapp zwei Milliarden Euro. Mit diesem Geld werden Graduiertenschulen für den wissenschaftlichen Nachwuchs, herausragende Zentren in bestimmten Forschungsdisziplinen (Exzellenzcluster) und das Forschungsprofil von neun Spitzenuniversitäten gefördert. Zu dieser „Elite" gehören die LMU und die TU München, die TU Karlsruhe, die RWTH Aachen sowie die Universitäten Konstanz, Göttingen, Heidelberg, Freiburg und die FU Berlin.

Hauptverantwortlich für die Organisation der Exzellenzinitiative ist die **Deutsche Forschungsgemeinschaft** (DFG), der wichtigste Forschungsfinanzier. Besonders ein Teil der Exzellenzinitiative verspricht langfristige Folgen: Hierbei werden Reformkonzepte belohnt, mit denen Uni-

**Universitäts-Ranking**
**Älteste Universität:** Ruprecht-Karls-Universität Heidelberg, 1386 gegründet
**Größte Universität:** Universität zu Köln mit 45 600 Studierenden
**Attraktivste Universität für internationale Spitzenforscher:** Universität Bayreuth laut Forschungsranking der Alexander von Humboldt-Stiftung
**Forschungsstärkste Universitäten:** TU München und Universität Heidelberg laut CHE-Forschungsranking
**Größte private Universität:** Katholische Universität Eichstätt-Ingolstadt mit 4800 Studierenden.

**Deutsche Forschungsgemeinschaft**
Die DFG ist die zentrale Selbstverwaltungsorganisation der Wissenschaft. Sie unterstützt Forschungsvorhaben, wobei die Mittel überwiegend in den Hochschulbereich fließen. Zusätzlich fördert sie die Zusammenarbeit zwischen den Forschern und berät Parlamente und Behörden.

**Beliebtes Studienland**
Weltweit lernen gut 2,73 Millionen Studierende im Ausland. Deutschland ist dabei eines der beliebtesten Studienländer

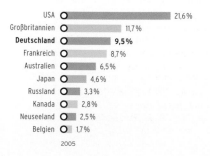

| | |
|---|---|
| USA | 21,6% |
| Großbritannien | 11,7% |
| **Deutschland** | **9,5%** |
| Frankreich | 8,7% |
| Australien | 6,5% |
| Japan | 4,6% |
| Russland | 3,3% |
| Kanada | 2,8% |
| Neuseeland | 2,5% |
| Belgien | 1,7% |

2005

**Abschlüsse werden internationaler**
Die meisten Prüfungen werden für Magister und Diplom abgelegt, doch Bachelor- und Master-Abschlüsse gewinnen zunehmend an Bedeutung

Lehramtsprüfungen 10,0%
Bachelor 5,7%
Master 4,2%
Promotion 9,1%
Diplom/Magister 37,3%
Fachhochschulabschluss 31,0%
2006

Die neuen Bachelor- und Master-Studiengänge spiegeln sich noch nicht in den Abschlusszahlen wider. 2003 wurden erst 5500 Prüfungen bestanden, 2006 schon über 26 000

**Forschung an den Hochschulen**
Die deutschen Universitäten sind – aufbauend auf dem Prinzip der „Einheit von Forschung und Lehre" – nicht nur Lehranstalten für Studierende, sondern auch Orte wissenschaftlicher Spitzenforschung. Voraussetzung dafür ist die intensive Zusammenarbeit von Wissenschaftlern und Forschungseinrichtungen im In- und Ausland. Die Universitäten erhalten Mittel von der öffentlichen Hand, von Stiftungen oder aus Forschungsaufträgen von Dritten („Drittmittelforschung").

versitäten darlegten, wie sie in den kommenden Jahren an die Spitze der internationalen **Forschung** vorstoßen wollen. Damit ist die Zeit vorbei, in der das Hochschulwesen auf weitgehend egalitären Prinzipien beruhte und Forschung und Lehre im Prinzip an jeder deutschen Universität gleich viel wert waren.

## Das Hochschulsystem

Nach dem Zweiten Weltkrieg entwickelte sich eine Wissenschaftslandschaft, die – verstärkt noch einmal durch die deutsche Wiedervereinigung 1990 – so breit gefächert ist wie niemals zuvor. Wer heute in Deutschland studieren möchte, hat die Wahl zwischen 383 Hochschulen, die über das gesamte Bundesgebiet verteilt sind. Ob in einer Großstadt oder im Grünen, altehrwürdig oder hochmodern, klein und überschaubar oder groß und pulsierend: In fast jeder größeren deutschen Stadt gibt es eine Hochschule. Allein

### Schulausbildung

Gute Startchancen für alle sind eine wesentliche Voraussetzung für Bildung und Leistung. In Deutschland gilt für alle Kinder eine neunjährige Schulpflicht. Der Besuch öffentlicher Schulen ist kostenfrei. In der Regel besuchen die Kinder mit sechs Jahren für vier Jahre die Grundschule. Anschließend gibt es unterschiedliche weiterführende Schulen: Hauptschule, Realschule, Gymnasium. Sie unterscheiden sich in den Leistungsanforderungen und in der Gewichtung von Praxis und Theorie.

Daneben gibt es Gesamtschulen, an denen Schulpflichtige aller Leistungsgruppen parallel unterrichtet werden. Ein Wechsel zwischen den verschiedenen Gruppen (Schulformen) ist dort leicht

möglich. Die Hauptschule umfasst die 5. bis 9. Klasse als Pflichtunterricht, das 10. Schuljahr ist freiwillig. Die Realschule steht zwischen Hauptschule und Gymnasium, umfasst die Klassen 5 bis 10 und führt zur „Mittleren Reife". Das Gymnasium vermittelt eine vertiefte allgemeine Bildung. Es endet je nach Bundesland nach zwölf oder 13 Schuljahren mit der Allgemeinen Hochschulreife.

Die meisten Schulen sind Halbtagsschulen Der Bund unterstützt jedoch mit vier Milliarden Euro die Einrichtung von Ganztagsschulen. Seit 2003 sind mit diesem Geld mehr als 6000 Schulen für den Aus- und Aufbau einer Ganztagsschule gefördert worden. Die Bundesländer sind für das Schulsystem zuständig, es wird jedoch durch die Ständige Konferenz der Kultusminister koordiniert.

das Bundesland Nordrhein-Westfalen verfügt über 15 Universitäten und 27 Fach- sowie acht Kunsthochschulen. Viele von ihnen wurden in den sechziger und siebziger Jahren gegründet, der Zeit der großen Hochschulexpansion. Innerhalb von zwei Jahrzehnten verfünffachte sich damals die Zahl der Studierenden. Besonders die Zahl der Studentinnen wuchs schnell. Mittlerweile haben sie ihre männlichen Kommilitonen zahlenmäßig fast eingeholt.

Heute studieren in Deutschland rund zwei Millionen junge Menschen. Mehr als ein Drittel eines Altersjahrgangs nimmt ein Studium auf – mit steigender Tendenz. Dennoch liegt Deutschland im internationalen Vergleich noch unter dem Durchschnitt. Das liegt zum einen an der relativ niedrigeren Quote von Schülerinnen und Schülern, die mit einer Hochschulberechtigung die Schule verlassen. Zum anderen wählt knapp ein Drittel der Abiturienten eine berufliche Ausbildung im bewährten dualen System (siehe Seite 129). Es bietet für viele Berufe – zum Beispiel bei handwerklich-technischen Tätigkeiten oder in medizinischen Hilfsberufen – eine Ausbildung, die in anderen Ländern ein Studium erfordert.

Ebenso im Gegensatz zu vielen anderen Nationen spielen **private Universitäten** nur eine vergleichsweise geringe Rolle: 96 Prozent der Studierenden besuchen öffentliche Einrichtungen. Diese arbeiten unter Aufsicht und Steuerung des Staates und stehen prinzipiell allen offen, die mit dem Abitur (oder einem vergleichbaren Zertifikat) die Zugangsberechtigung zum Studium besitzen. Seit den siebziger Jahren wurden neben den staatlichen und den kirchlichen Hochschulen etliche staatlich unabhängige, nicht-konfessionelle Hochschulen gegründet, die sich über Studiengebühren und Spenden finanzieren.

*Sprungbrett für eine erfolgreiche Berufskarriere: Ein abgeschlossenes Studium*

**Private Universitäten**
Neben den nichtstaatlichen, konfessionellen Hochschulen haben sich seit den siebziger Jahren auch eine Reihe staatlich anerkannter privater Hochschulen gegründet. Mittlerweile gibt es in Deutschland 110 – meist kleine – Hochschulen in freier Trägerschaft, darunter 13 private Universitäten wie die European Business School in Oestrich-Winkel und die Private Universität Witten/Herdecke sowie 15 Theologische Universitäten.

## Technische Universitäten und Fachhochschulen

Während die klassischen Universitäten der reinen Wissenschaft verpflichtet sind und das umfassende Fächerspektrum von den Altertumswissenschaften bis zur Volkswirtschaft anbieten, konzentrieren sich die Technischen Univer-

# Erfindungen und Innovationen

Das Land der Ideen: Vom Fahrrad bis zum
MP3-Format — deutsche Erfinder und Erfindungen
prägen die moderne Welt. Innovationen
„made in Germany" auf einen Blick

**1854**
**Glühbirne**
Der Uhrmacher war seiner Zeit weit
voraus. Denn als **Heinrich Göbel** (1818-1893)
im Jahre 1854 Bambusfasern in einem
Vakuum zum Glühen brachte, gab es noch
gar kein Stromnetz. Heutzutage werden in
Deutschland pro Jahr rund 350 Millionen
Glühbirnen verkauft

**1796**
**Homöopathie**
Ähnliches möge mit Ähnlichem geheilt
werden: Diese Idee führte **Samuel Hahnemann**
(1755-1843) zum Heilprinzip der Homöopathie. Mittlerweile haben schon knapp
40 Prozent der Deutschen das sanfte
Verfahren angewandt

| 1760 | 1780 | 1800 | 1820 | 1840 |

**18. Jh.**     **19. Jh.**

**1817**
**Fahrrad**
Das „Zweiradprinzip" hatte es **Karl von
Drais** (1785-1851) besonders angetan.
Die zweirädrige Laufmaschine wurde
weltweit zur Erfolgsstory

**1861**
**Telefon**
Mit **Philipp Reis** (1834-1874)
begann die Ära einer revolutionären Kommunikationstechno-
logie. Dem Mathematiklehrer
gelang es als Erstem, Töne und
Wörter in elektrischen Strom zu
verwandeln und andernorts als
Schall wiederzugeben

### 1876
**Kühlschrank**

Am 25. März 1876 erhielt **Carl von Linde** (1842-1934) das Patent für den ersten Kühlschrank, der mit Ammoniak als Kühlmittel arbeitete. 1993 bringt die deutsche Firma **Foron** den weltweit ersten FCKW-freien „Greenfreeze"-Kühlschrank auf den Markt

### 1930/1931
**Fernsehen**

Am Weihnachtsabend 1930 gelang **Manfred von Ardenne** (1907-1997) die erste elektronische Fernsehübertragung. Mittlerweile steht in 95 Prozent der deutschen Haushalte ein Fernsehgerät. Die durchschnittliche Sehdauer liegt bei rund 220 Minuten am Tag

### 1876
**Otto-Motor**

Ansaugen, verdichten, zünden, arbeiten, auspuffen: Als Erfinder des Viertakt-Prinzips hat **Nikolaus August Otto** (1832-1891) Technikgeschichte geschrieben und die Motorisierung beschleunigt

### 1891
**Gleitflug**

Er verwirklichte einen Menschheitstraum: **Otto Lilienthal** (1848-1896) gelang 1891 ein Gleitflug über 25 Meter. Heute segeln in Deutschland rund 7850 motorlose Flugzeuge

### 1897
**Aspirin**

Am 10. August 1897 synthetisierte der Chemiker **Felix Hoffmann** (1868-1946) ein weißes Pulver: die Acetylsalicylsäure, ein „Wundermittel", wie sich zeigen sollte

| 1860 | 1880 | 1900 | 1920 | 1940 |

## 20. Jh.

### 1885
**Automobil**

Sie machten die Menschen mobil: **Carl Benz** (1844-1929) und **Gottlieb Daimler** (1834-1900). Heute sind in Deutschland über 46 Millionen Pkw zugelassen

### 1905
**Relativitätstheorie**

Er entwickelte kein Produkt, er erfand kein Verfahren. Dafür kreierte er eine neue Vorstellung von Raum und Zeit. **Albert Einstein** (1879-1955), der 1933 aus Deutschland emigrierte, war der erste Popstar der Wissenschaft. Seine Formel: $E=mc^2$

# Innovationen „made in Germany"

**1957**
**Dübel**
Einfach und genial: Anders lässt sich die Erfindung des Kunststoff-Dübels nicht beschreiben. Für den „Patentwelt-meister" **Artur Fischer** ist das Patent für den Dübel aber nur eines von über 5000, die er im Laufe eines langen Unternehmerlebens erworben hat

**1939**
**Düsentriebwerk**
Schon als Student suchte **Hans von Ohain** (1911-1998) nach einem neuen Triebwerk für Flugzeuge. Seine Vision: Der „Schub" liefert die Antriebskraft. 1939 startete das erste Düsenflugzeug in Rostock

**1969**
**Chipkarte**
Mit dem Patent DE 19 45777 C3 stießen **Jürgen Dethloff** (1924-2002) und **Helmut Gröttrup** (1916-1981) das Tor der Informationsgesellschaft weit auf. Als Scheckkarte, Telefonkarte oder Patientenkarte ist ihre Chipkarte heute fester Bestandteil des Alltags

1940    1950    1960    1970

## 20. Jh.

**1941**
**Computer**
Weil er Mathematikaufgaben nicht mochte, erfand **Konrad Zuse** (1910-1995) die erste binäre Rechenmaschine: den Z3. Der erste Computer schaffte die vier Grundrechenarten in gerade drei Sekunden: der Beginn des digitalen Zeitalters. Heute werden pro Jahr 240 Millionen PC verkauft, acht Millionen allein in Deutschland

ISBN 3-7973-0932-5

**1963**
**Scanner**
Der Erfinder des Fax-Vorläufers **Rudolf Hell** (1901-2002) hatte schon in den zwanziger Jahren die Idee, Texte und Bilder in Punkte und Linien zu zerlegen. Sein Hell-Schreiber übertrug erstmals Text und Bild über weite Strecken. 1963 erfand er den ersten Scanner zur Zerlegung farbiger Bildvorlagen

**1979**
**Magnetschwebebahn**
Die erste Magnetschwebebahn fuhr in Hamburg. Heute rast der deutsche „Transrapid" in Schanghai mit 430 Stundenkilometern vom Flughafen in die City. Die geniale Idee für eine Magnetbahn hatte der Ingenieur **Hermann Kemper** (1892-1977) schon 1933

**1995**
**MP3**
Für Millionen Kids welt-
weit sind MP3-Player das
Größte. Entwickelt hat das
Verfahren zur Audiokom-
pression ein Team des
Fraunhofer-Instituts um
**Karlheinz Brandenburg**

**2005**
**Airbus A 380**
Eine europäische Erfolgsge-
schichte mit viel deutscher
Technik: Der **Airbus A380** ist
der größte Linienjet der
Welt. Im Frühjahr 2005
absolvierte der Gigant der
Lüfte den Jungfernflug

**2007**
**Festplatten-Revolution**
Neun Jahre nach der Entde-
ckung des Riesenmagneto-
Widerstandseffekts erhielten der
deutsche Physiker **Peter Grünberg**
und der Franzose Albert Fert den
Nobelpreis für Physik

**1976**
**Flüssigkristallbildschirm**
Die Zukunft der Bildschirm-
technik ist groß und flach:
dank moderner Flüssig-
kristalle. Die ersten bot die
Darmstädter Firma **Merck**
1904 zum Verkauf an, der
Durchbruch gelang dann
1976 dank Substanzen mit
besseren optischen und
chemischen Display-Eigen-
schaften

**1994**
**Brennstoffzellen-Auto**
Schon 1838 entwickelte **Christian Friedrich
Schönbein** (1799-1868) das Prinzip der Brenn-
stoffzelle. Doch erst 1994 nutzte die Daimler Benz AG das Potenzial für das weltweit
erste Brennstoffzellenauto

| 1980 | 1990 | 2000 | 2010 |
|---|---|---|---|

**21. Jh.**

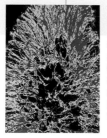

**1986**
**Rastertunnelmikroskop**
Es macht die kleinsten Bau-
steine der Materie sichtbar:
die Atome. Der Deutsche
**Gerd Binnig** und der Schweizer
Heinrich Rohrer erhielten
dafür 1986 den Nobelpreis für
Physik. Der entscheidende
Vorstoß in die Nanowelt

**2002**
**Twin-Aufzüge**
Wie können zwei Aufzugkabinen
unabhängig voneinander in einem
Schacht fahren? Eine hypermoderne
Steuerungstechnik der Firma **Thyssen
Krupp** macht es möglich. Twin-
Aufzüge eröffnen neue Dimensionen
in der Gebäudeplanung

*Wilhelm von Humboldt:*
*Er schuf in Deutschland*
*die Universität als einen*
*Ort der unabhängigen*
*Erkenntnissuche*

**Technische Universitäten**
Besonders stark technisch orientierte Universitäten bezeichnen sich als Technische Universität (TU) oder Technische Hochschule (TH). Gegenüber den anwendungsorientierten Fachhochschulen legen sie größeren Wert auf Grundlagenforschung. Die neun führenden TU haben sich zur TU9-Initiative zusammengeschlossen. Die TU9-Universitäten sind besonders international ausgerichtet und koordinieren ihre zahlreichen Studienexportangebote im Ausland.

sitäten (TU) auf ingenieur- und naturwissenschaftliche Studiengänge. Die **Technischen Universitäten** haben als Schmieden deutscher Ingenieurskunst einen guten Ruf. Sie sind bei ausländischen Studenten besonders beliebt.

Seit Ende der sechziger Jahre entwickelte sich zudem eine deutsche Besonderheit, die auch im Ausland viele Nachahmer gefunden hat: die Fachhochschule (FH). Mehr als ein Viertel aller Studierenden in Deutschland lernen heute an einer FH sowie in einigen Bundesländern an einer sogenannten Berufsakademie, die sehr stark mit Unternehmen zusammenarbeitet. Vor allem der schnellere Weg in den Beruf – ein Studium an einer FH dauert in der Regel drei Jahre – sowie die praxisorientierte Ausrichtung locken die Studenten an die Fachhochschulen. Straff organisierte Studiengänge und studienbegleitende Prüfungen ermöglichen kürzere Durchschnittsstudienzeiten. Das bedeutet indes keinen Verzicht auf Wissenschaftlichkeit – auch an den 176 Fachhochschulen wird geforscht, allerdings in hohem Maße anwendungsbezogen und industrienah.

## Internationale Orientierung

**Internationalisierung**
Rund 250 000 ausländische Studierende besuchen derzeit eine deutsche Hochschule, etwa jeder Vierte hat auch schon seine Hochschulzugangsberechtigung in Deutschland erworben. Aber auch 76 000 Deutsche studieren im Ausland. Ihre beliebtesten Studienländer sind die Niederlande, Großbritannien, Österreich und die USA.

Deutschland ist ein attraktiver Studienstandort für junge Menschen aus aller Welt. Rund 250 000 Ausländerinnen und Ausländer studieren an deutschen Hochschulen, 70 Prozent mehr als 1995. Mittlerweile stammt mehr als jeder zehnte

Student aus dem Ausland, die meisten aus Osteuropa und China. Deutschland ist für internationale Studenten nach den USA und Großbritannien das wichtigste Gastland.

Dieser Erfolg in der **Internationalisierung** der deutschen Hochschulen ist dem vereinten Bemühen von Universitäten und Politik zu verdanken. So wurde gemeinsam mit den Hochschulorganisationen vor einigen Jahren im Ausland eine Imagekampagne für die deutschen Hochschulen gestartet. Daneben waren mehrere Hochschulen mit staatlicher Hilfe an der Gründung von Partnerhochschulen im Ausland beteiligt, unter anderem in Singapur (TU München), Kairo (Universitäten Ulm und Stuttgart) und Seoul (Musikhochschule Weimar). Federführend bei solchen Auslandsinitiativen ist in der Regel der **DAAD**, der Deutsche Akademische Austauschdienst, der weltweit den Austausch von Studierenden und Wissenschaftlern fördert. In über hundert Ländern unterhält er Büros, Dozenten oder Alumni-Vereinigungen. Er war auch beim Aufbau der vielen hundert fremd-

**DAAD**
Der Deutsche Akademische Austauschdienst (DAAD) ist eine gemeinsame Einrichtung der deutschen Hochschulen. Er hat die Aufgabe, die Hochschulbeziehungen mit dem Ausland vor allem durch den Austausch von Studierenden sowie Wissenschaftlerinnen und Wissenschaftlern zu fördern. Seine Programme sind in der Regel offen für alle Fachrichtungen und alle Länder und kommen Ausländern wie Deutschen gleichermaßen zugute. Der DAAD unterhält ein weltweites Netzwerk von Büros, Dozenten und Alumni-Vereinigungen und bietet Informationen und Beratung.

## Duale Berufsausbildung

International etwas Besonderes ist die duale Berufsausbildung. Die meisten Jugendlichen, etwa 60 Prozent, erlernen nach der Schule einen der 350 staatlich anerkannten Ausbildungsberufe im dualen System. Dieser Einstieg in das Berufsleben unterscheidet sich von der rein schulischen Berufsausbildung, wie sie in vielen Staaten üblich ist: Der praktische Teil wird an drei bis vier Wochentagen im Betrieb gelernt; an ein bis zwei Tagen folgt die fachtheoretische Ausbildung in der Berufsschule. Die Ausbildung dauert zwei bis dreieinhalb Jahre. Das Ausbildungsangebot der Betriebe wird dabei unterstützt durch überbetriebliche Lehrgänge und zusätzliche Qualifikationsangebote. Finanziert wird die Ausbildung von den Betrieben, die den Auszubildenden eine Ver-

gütung bezahlen, und vom Staat, der die Kosten für die Berufsschule trägt. Zurzeit bilden 482 000 Betriebe, der öffentliche Dienst und die Freien Berufe die jungen Menschen aus. Mehr als 80 Prozent der Ausbildungsplätze stellen kleine und mittlere Betriebe. Aufgrund der dualen Berufsausbildung ist der Anteil der Jugendlichen ohne Beruf oder Ausbildungsplatz in Deutschland vergleichsweise niedrig. Er beträgt bei den 15- bis 19-Jährigen nur 2,3 Prozent. Die Kombination von Theorie und Praxis garantiert die hohe Qualifikation der Handwerker und Facharbeiter. Die berufliche Ausbildung ist zudem ein Einstieg in eine Karriere, die über die Weiterbildung bis zum Meisterbrief führt. Neu ist ein Qualifizierungsweg, der über berufsbegleitende Fortbildungen bis zu einem Master-Abschluss an einer Hochschule führen kann.

**Bologna-Prozess**
Gemeinsam mit seinen
europäischen Nachbarn hat sich
Deutschland 1999 in Bologna
das Ziel gesetzt, bis zum Jahr
2010 einen gemeinsamen europäischen Hochschulraum zu
schaffen. Ergebnis der Reform
ist die Umstellung der Studiengänge auf das zweistufige
Bachelor-/Master-Studiensystem
und die Einführung von Leis-
tungspunkten nach einem europaweit anerkannten System.

*Revolutionierte das
Verständnis von Raum und
Zeit: Albert Einstein*

sprachigen (häufig englischsprachigen) Studiengänge an deutschen Hochschulen beteiligt.

Zudem stellen immer mehr Fachbereiche ihr Studium auf die international bekannten Bachelor- und Master-Abschlüsse um. Bis 2010 sollen alle Hochschulen die neue Studienstruktur übernommen haben – so schreibt es die von den Staaten Europas unterzeichnete **„Bologna-Erklärung"** vor. Nicht nur der Studentenaustausch innerhalb des Kontinents soll dadurch erleichtert werden. Gleichzeitig möchte Europa noch interessanter werden für Akademiker aus Übersee.

Was an Kunst- und Musikhochschulen schon lange üblich ist, soll in Zukunft auch an anderen Universitäten Praxis werden. Bis vor kurzem suchte nur ein kleiner Teil der Fachbereiche seine Studierenden selbst aus. In den Fächern mit **Zulassungsbeschränkung** – bundesweit sind dies zurzeit Biologie, Medizin, Pharmazie, Psychologie, Tiermedizin und Zahnmedizin, für Nordrhein-Westfalen kommen noch landesweite Beschränkungen hinzu – werden die Studienplätze von einer zentralen Stelle, der ZVS, auf die Hochschulen verteilt. Aber immer mehr Hochschulen erlassen hochschulspezifische Beschränkungen und nutzen die Möglichkeit, Studienbewerber mit Eignungstests oder Auswahlgesprächen zu prüfen.

**Deutsche Nobelpreisträger in Naturwissenschaft und Medizin**

Von den bislang 78 deutschen Nobelpreisträgern bekamen 67 den Preis für Verdienste in den Naturwissenschaften oder der Medizin. Der erste Nobelpreis überhaupt ging 1901 an Wilhelm Conrad Röntgen – für Physik. Robert Koch, Max Planck, Albert Einstein, Werner Heisenberg und Otto Hahn waren weitere deutsche Preisträger, die weit über ihr Fach hinaus bekannt wurden. Christiane Nüsslein-Volhard (Medizin), Horst L. Störmer, Herbert Kroemer, Wolfgang Ketterle, Theodor Hänsch, Peter Grünberg (alle Physik) sowie Gerhard Ertl (Chemie) sind die jüngsten deutschen Nobelpreisträger.

| | | |
|---|---|---|
| ❶ | 1901 | **Conrad Röntgen** |
| ❷ | 1905 | **Robert Koch** |
| ❸ | 1932 | **Werner Heisenberg** |
| ❹ | 1995 | **Chr. Nüsslein-Volhard** |
| ❺ | 1998 | **Horst L. Störmer** |
| ❻ | 2000 | **Herbert Kroemer** |
| ❼ | 2001 | **Wolfgang Ketterle** |
| ❽ | 2007 | **Gerhard Ertl** |

2005 fiel durch eine Entscheidung des Bundesverfassungsgerichts ein weiteres Tabu: die Gebührenfreiheit für das Studium. Bislang zahlte in Deutschland (fast) nur der Staat für die höhere Bildung. Seit 2007 erheben mittlerweile sieben Bundesländer – im internationalen Vergleich gesehen relativ moderate – **Studienbeiträge** vom ersten Semester an. Für Langzeitstudenten oder ein Zweitstudium werden auch in anderen Bundesländern Studiengebühren erhoben.

## Forschung in der Wirtschaft

Während für das Studium allein die Hochschulen zuständig sind, findet Forschung in Deutschland natürlich auch außerhalb der Universitäten statt. So ist die Forschungsaktivität der deutschen Wirtschaft groß: Mit mehr als 24 000 Anmeldungen liegt Deutschland deutlich vor den anderen europäischen Ländern bei den beim Europäischen Patentamt eingereichten Patenten. Mit Siemens, Bosch und BASF gehören drei deutsche Konzerne bei der internationalen Patentanmeldung unter die sieben weltweit besten Unternehmen. In Anwendungstechnologien wie der Automobil-, Maschinenbau-, Umwelt-, Chemie-, Energie- oder Bautechnologie zählt Deutschland zu den größten Patentanmel-

**Zulassungsbeschränkung**
Aufgrund des Andrangs wurden für einen Teil der Studienfächer bundesweite Zulassungsbeschränkungen (Numerus clausus) eingeführt. Seit 2005 greift in bundesweit zulassungsbeschränkten Studiengängen die kurz als „20-20-60-Regelung" beschriebene Quotenverteilung: 20 Prozent der Studienplätze gehen an die Abiturbesten, die sich ihre Wunschhochschule aussuchen können, 20 Prozent werden nach Wartezeit vergeben. Bei 60 Prozent ihrer Plätze können die Hochschulen eigene Kriterien ergänzen.

**Studienbeiträge**
Seit 2007 erheben die Bundesländer Baden Württemberg, Bayern, Hamburg, Hessen, Niedersachsen, Nordrhein-Westfalen und das Saarland derzeit Studienbeiträge vom ersten Semester an. Überwiegend liegt der Betrag bei 500 Euro pro Semester. Zur Finanzierung bieten diese Länder einen staatlich abgesicherten Kredit.

**Spitzenplatz bei Patenten**
Von insgesamt 135 183 Patentanmeldungen beim Europäischen Patentamt im Jahr 2006 entfielen auf

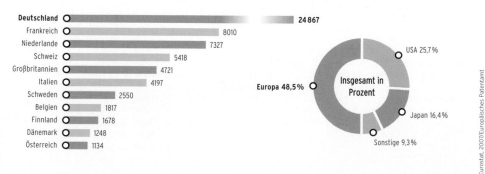

Deutschland 24 867
Frankreich 8010
Niederlande 7327
Schweiz 5418
Großbritannien 4721
Italien 4197
Schweden 2550
Belgien 1817
Finnland 1678
Dänemark 1248
Österreich 1134

Europa 48,5 %
USA 25,7 %
Japan 16,4 %
Sonstige 9,3 %
Insgesamt in Prozent

Eurostat, 2007/Europäisches Patentamt

**Max-Planck-Gesellschaft**
Die Max-Planck-Gesellschaft wurde am 26. Februar 1948 – in Nachfolge der bereits 1911 errichteten Kaiser-Wilhelm-Gesellschaft zur Förderung der Wissenschaften – gegründet. Max-Planck-Institute betreiben Grundlagenforschung in den Natur-, Bio-, Geistes- und Sozialwissenschaften. Die MPG gründete zusammen mit Partneruniversitäten die international ausgerichteten Max-Planck-Research-Schools. Von den an den 49 Graduiertenschulen aufgenommenen Doktoranden stammt die Hälfte aus dem Ausland.

**Fraunhofer-Gesellschaft**
Die Gesellschaft betreibt anwendungsorientierte Forschung. Auftraggeber sind Industrie- und Dienstleistungsunternehmen sowie die öffentliche Hand. Etwa 12 500 Mitarbeiterinnen und Mitarbeiter sind in rund 56 Instituten an über 40 Standorten in ganz Deutschland tätig. Das jährliche Forschungsvolumen beträgt 1,2 Milliarden Euro. Die Fraunhofer-Gesellschaft hat Niederlassungen in Europa, den USA, Asien und im Nahen Osten.

dern weltweit. Bei Umweltschutzpatenten steht Deutschland weltweit vor den USA und Japan.

## Außeruniversitäre Forschung

Spitzenforschung findet zudem an Hunderten von wissenschaftlichen Instituten statt, die in Organisationen wie der Helmholtz-Gemeinschaft, der Fraunhofer-Gesellschaft oder der Leibniz-Gemeinschaft zusammengefasst sind. Gerade an den außeruniversitären Forschungseinrichtungen finden Spitzenwissenschaftler optimale Arbeitsbedingungen vor, wie sie nur wenige andere Institutionen weltweit bieten können. Hier arbeiten die produktivsten deutschen Forscher, entstehen die originellsten Veröffentlichungen. Das gilt besonders für die 78 Max-Planck-Institute (MPI). Ob bei der Suche nach Wasser auf dem Mars, beim Humangenom-Projekt oder der Erforschung des menschlichen Verhaltens: Max-Planck-Institute sind dabei, wenn wissenschaftliches Neuland beschritten wird.

17 Nobelpreise und viele andere internationale Auszeichnungen haben die MPI-Wissenschaftler seit der Gründung der Gesellschaft 1948 errungen. 2007 ging der Nobelpreis für Chemie an den MPI-Direktor Gerhard Ertl. Die Attraktivität der **Max-Planck-Gesellschaft** gründet auf ihrem Forschungsverständnis: Ihre Institute bestimmen alle Themen selbst, erhalten beste Arbeitsbedingungen und haben freie Hand bei der Auswahl ihrer Mitarbeiter. Direktor eines MPI

## Das Thema im Internet

**www.das-ranking.de**
Das detaillierteste Ranking deutscher Hochschulen bieten der DAAD, das Centrum für Hochschulentwicklung (CHE) und die Wochenzeitung „Die Zeit" in einer Datenbank an (Deutsch, Englisch)

**www.bildungsserver.de**
Das Informationsportal zum deutschen Bildungssystem (Deutsch, Englisch)

**www.hochschulkompass.de**
Der Webauftritt informiert über Studium, Promotionsmöglichkeiten und internationale Kooperationen (Deutsch, Englisch)

**www.forschungsportal.net**
Suchmaschine des Bundesforschungsministeriums zu Forschungsergebnissen, Dissertationen (Deutsch, Englisch)

**www.dfg.de**
Informationen der Deutschen Forschungsgemeinschaft für Wissenschaftler (Deutsch, Englisch)

**www.daad.de, www.studieren-in.de**
Das Angebot des Deutschen Akademischen Austauschdienstes informiert über Studienmöglichkeiten für Ausländer sowie Stipendien (in 24 Sprachen)

zu sein ist für viele Wissenschaftler der Höhepunkt ihrer Karriere.

Was bei Max Planck selten vorkommt, ist für die Institute der **Fraunhofer-Gesellschaft** lebensnotwendig: die enge Kooperation mit der Industrie. Die rund 56 Forschungseinrichtungen betreiben angewandte Forschung, vor allem auf ingenieurwissenschaftlichem Feld. Fraunhofer-Experten stehen mit einem Bein im Labor und mit dem anderen in der Fabrikhalle, denn ihre Aufträge stammen in der Regel von Unternehmen, vornehmlich aus dem Mittelstand.

Die 83 Institute der **Leibniz-Gemeinschaft** haben ihre Stärken nicht nur in den Lebens- und Naturwissenschaften, sondern setzen auch einen starken Akzent auf Geistes-, Sozial- und Wirtschaftswissenschaften. Das ifo-Institut für Wirtschaftsforschung, das regelmäßig den Geschäftsklimaindex veröffentlicht, gehört ebenso zum Verbund wie das Deutsche Museum in München, eines der weltweit bedeutendsten naturwissenschaftlich-technischen Museen, das Bernhard-Nocht-Institut für Tropenmedizin in Hamburg oder das Institut für Deutsche Sprache in Mannheim, das die Entwicklung der deutschen Sprache wissenschaftlich begleitet.

Unter dem Dach der **Helmholtz-Gemeinschaft** sind 15 Hightech-Einrichtungen der deutschen Forschung versammelt, große, oft extrem teure Institutionen, die weltweit bekannt sind, wie die Gesellschaft für Schwerionenforschung (GSI), das Deutsche Krebsforschungszentrum (DKFZ), das Deutsche Elektronen-Synchrotron in Hamburg (DESY) oder das Alfred-Wegener-Institut für Polar- und Meeresforschung. Jedes Jahr ziehen die Helmholtz-Institute Tausende ausländischer Forscher an, um die mitunter weltweit einmaligen Anlagen für physikalische oder medizinische Versuche zu nutzen.

Mit gezielter Förderung will die Bundesregierung Deutschland weiter voranbringen. Bis 2010 sollen drei Prozent des Bruttoinlandsprodukts in Forschung und Entwicklung investiert werden (2005: 2,51 Prozent). Dazu werden die Mittel für die Forschungseinrichtungen bis zum Jahr 2010 jährlich um drei Prozent erhöht und sechs Milliarden Euro in die Nano-, Bio- und Informationstechnologie fließen. ●

**Leibniz-Gemeinschaft**
Gottfried Wilhelm Leibniz (1646–1716) war einer der letzten Universalgelehrten. Entsprechend breit fächert sich das wissenschaftliche Spektrum der 83 Institute: Es reicht von den Geistes- und Wirtschaftswissenschaften bis zur Mathematik. Im Mittelpunkt steht die anwendungsorientierte Grundlagenforschung. Die Leibniz-Institute beschäftigen mehr als 13 000 Mitarbeiter und haben einen Gesamtetat von rund 1,1 Milliarden Euro.

**Helmholtz-Gemeinschaft**
Mit ihren 15 Forschungszentren, einem Jahresbudget von rund 2,3 Milliarden Euro und 26 500 Mitarbeiterinnen und Mitarbeitern ist die Helmholtz-Gemeinschaft Deutschlands größte Wissenschaftsorganisation. Sie engagiert sich in den Bereichen Energie, Erde und Umwelt, Gesundheit, Schlüsseltechnologien, Struktur der Materie sowie Verkehr und Weltraum.

**Martin Spiewak**
Der Journalist ist Wissenschaftsredakteur der Wochenzeitung „Die Zeit".

# 9

# Gesellschaft

In Deutschland leben rund 82 Millionen Menschen. Es ist die mit Abstand bevölkerungsreichste Nation der Europäischen Union. Deutschland ist ein modernes und weltoffenes Land. Seine Gesellschaft ist geprägt durch einen Pluralismus von Lebensstilen und die Vielfalt ethno-kultureller Prägungen. Die Formen des Zusammenlebens sind vielfältiger geworden, die individuellen Freiräume haben sich erweitert. Die traditionellen Rollenzuweisungen der Geschlechter wurden aufgebrochen. Trotz der gesellschaftlichen Veränderungen ist die Familie weiterhin die wichtigste soziale Bezugsgruppe und die Jugendlichen haben ein sehr enges Verhältnis zu ihren Eltern.

# Die deutsche Gesellschaft – modern, plural und offen

*Von Rainer Geißler*

DIE DEUTSCHE GESELLSCHAFT ist eine moderne und offene Gesellschaft: Die meisten Menschen – Jüngere und Ältere – verfügen über eine gute Ausbildung, einen international betrachtet hohen **Lebensstandard** und über entsprechende Freiräume zur individuellen Lebensgestaltung. Im Zentrum ihres Lebens steht die Familie, deren Formen immer vielfältiger werden. Doch die Gesellschaft steht vor der Herausforderung, wichtige Probleme der Bevölkerungsentwicklung – die Alterung der Gesellschaft sowie die Zuwanderung mit zunehmender ethno-kultureller Vielfalt – zu lösen. Und noch eine Aufgabe haben die Deutschen zu bewältigen: die Folgen der 45-jährigen deutschen Teilung. Seit der politischen Wiedervereinigung im Jahr 1990 ist schon vieles geschehen, dennoch wird die Herstellung der sozialen Einheit Deutschlands auch in absehbarer Zukunft ein wichtiges Thema bleiben.

## Bevölkerung

Deutschland ist seit der Wiedervereinigung die mit Abstand bevölkerungsreichste Gesellschaft der Europäischen Union. Rund 82 Millionen Menschen wohnen auf deutschem Gebiet, ein knappes Fünftel davon in Ostdeutschland, auf dem Territorium der früheren DDR. Drei Trends sind kennzeichnend für die demographische Entwicklung in Deutschland: eine niedrige Geburtenrate, die steigende Lebenserwartung und die Alterung der Gesellschaft.

**Lebensstandard**
Die Bundesrepublik Deutschland gehört zu den Ländern mit dem höchsten Lebensstandard der Welt. Nach dem HDI-Index der Vereinten Nationen ist Deutschland bei der Lebenserwartung, dem Alphabetisierungsgrad und dem Pro-Kopf-Einkommen weltweit eines der höchst entwickelten Länder. Das Gesundheitssystem ermöglicht eine umfassende medizinische Versorgung, die sozialen Sicherungssysteme der gesetzlichen Krankenkassen, der Pflege- und Unfallversicherung, der Altersvorsorge und der Sicherung bei Arbeitslosigkeit schützen die Menschen vor den finanziellen Folgen existenzieller Risiken.

Seit drei Jahrzehnten befindet sich Deutschland in einem Geburtentief: Die Zahl der Geburten liegt seit 1975 mit leichten Schwankungen bei etwa 1,3 Kindern pro Frau. Die Kindergeneration ist also seit 30 Jahren um etwa ein Drittel kleiner als die Elterngeneration. Hohe Zuwanderungsraten aus anderen Gesellschaften nach Westdeutschland verhinderten, dass die Bevölkerung entsprechend schrumpfte. Gleichzeitig stieg die Lebenserwartung der Menschen kontinuierlich an. Sie beträgt mittlerweile bei Männern 77 Jahre und bei Frauen 82 Jahre.

Die **steigende Lebenserwartung** und noch mehr die niedrigen Geburtenzahlen sind die Ursache für den dritten Trend: Der Anteil junger Menschen an der Gesamtbevölkerung geht zurück, gleichzeitig nimmt der Anteil der älteren Menschen zu. Anfang der neunziger Jahre entfielen auf jeden über 60 Jahre alten Menschen knapp drei Personen im Erwerbsalter. Anfang des 21. Jahrhunderts beträgt das Verhältnis nur noch 1 zu 2,2 und Vorausberechnungen

## Das Sportland

Im Jahr 2006 feierte Deutschland mit Gästen aus aller Welt ein „Sommermärchen": Die Fußballweltmeisterschaft begeisterte mit guter Stimmung in den Stadien und auf den Fanmeilen. Bald soll es eine Fortsetzung geben: 2011 sind es die Fußball-Frauen, die ihren Weltmeistertitel bei der WM in Deutschland verteidigen wollen. Und das Ereignis wird ganz sicher wieder eine große Fußballparty. Ein großes Sportereignis steht auch mit der Leichtathletik-WM 2009 in Berlin bevor.
Fußball ist die Sportart Nummer eins in Deutschland. Mit mehr als 6,5 Millionen Mitgliedern in 26 000 Vereinen ist der Deutsche Fußball-Bund (DFB) der größte Einzelsportverband der Welt. Und dabei ist besonders die Jugend aktiv: Mehr als 2,3 Millionen Jungen und Mädchen kicken in den 21 Landesverbänden. Die Bundesliga, eine der stärksten europäischen Ligen, ist ihr Ziel. Der DFB gehört dem Deutschen Olympischen Sportbund (DOSB) an, der mit rund 27 Millionen Mitgliedschaften in 90 000 Vereinen die größte Sportorganisation der Welt ist. Der DOSB fördert neben dem Spitzen- auch den Breitensport. Die beliebtesten Freizeitsportarten sind – neben Fußball – Turnen, Tennis, Sportschießen, Leichtathletik und Handball. Diese Sportbegeisterung bringt immer wieder Spitzensportler hervor, die bei Europa- und Weltmeisterschaften oder Olympischen Spielen vorne mit dabei sind. Besonders erfolgreich sind die deutschen Athleten in Leichtathletik, Schwimmen, Rudern, Kanu und Reiten. Im ewigen Medaillenspiegel gehört Deutschland zu den besten Nationen.

gehen davon aus, dass innerhalb des nächsten Jahrzehnts das Verhältnis von 1 zu 2 unterschritten werden dürfte. Die Alterung der Gesellschaft ist eine der größten Herausforderungen an die Sozial- und Familienpolitik. Die Rentenversicherung befindet sich deshalb seit längerem im Umbau: Der traditionelle **„Generationenvertrag"** wird immer weniger bezahlbar und durch private Vorsorge fürs Alter ergänzt. Zudem werden verstärkt familienpolitische Maßnahmen zur Erhöhung der Kinderzahl umgesetzt.

**Generationenvertrag**
So wird das System bezeichnet, mit dem die gesetzliche Rentenversicherung finanziert wird: Die heute Erwerbstätigen zahlen in einem Umlageverfahren mit ihren Beiträgen die Renten der aus dem Erwerbsleben ausgeschiedenen Generation in der Erwartung, dass die kommende Generation dann später die Renten für sie aufbringt. Eine erste gesetzliche Regelung zur Alterssicherung wurde schon 1889 eingeführt. Mittlerweile gehören rund 80 Prozent der erwerbstätigen Bevölkerung der gesetzlichen Rentenversicherung an. Neben den Einzahlungen der Arbeitnehmer und Arbeitgeber wird das System heute auch durch Bundeszuschüsse getragen. Seit 2002 wird die gesetzliche Rente ergänzt durch eine staatlich geförderte kapitalgedeckte private Altersvorsorge. Neben der gesetzlichen Rente für Arbeitnehmer sichern Pensionen und andere Versicherungen die Altersvorsorge von Beamten und Freiberuflern.

## Familie

Die Familie ist weiterhin die erste und vorrangige soziale Gruppe der Menschen und eine der wichtigsten sozialen Institutionen. Ihre Bedeutung als Lebenszentrum hat im Laufe der Zeit eher zu- als abgenommen. Für fast 90 Prozent der Bevölkerung steht die Familie an erster Stelle ihrer persönlichen Prioritäten. Auch unter jungen Menschen genießt sie hohe Wertschätzung: 72 Prozent der 12- bis 25-Jährigen sind der Meinung, dass man eine Familie zum Glücklichsein braucht.

Doch die Vorstellungen, wie eine Familie auszusehen hat, sowie die Struktur der Familie haben sich im Zuge des sozialen Wandels stark verändert. In der traditionellen bürgerlichen Familie versorgte ein auf Dauer verheiratetes Ehepaar mehrere Kinder in strikter Rollentrennung: der Vater als berufstätiger Ernährer, die Mutter als Hausfrau. Dieses „Ernährermodell" wird durchaus noch gelebt – zum Beispiel in unteren sozialen Schichten, unter Migranten oder auf Zeit, solange die Kinder noch klein sind –, aber es ist nicht mehr die vorherrschende Lebensform.

Die Formen des Zusammenlebens sind erheblich vielfältiger geworden. Die Freiräume, zwischen verschiedenen Familienformen zu wählen oder auch ganz auf eine Familie zu verzichten, haben sich erweitert. Das hat nicht unerheblich mit der veränderten Rolle der Frau zu tun: Rund 64 Prozent der Mütter sind heute berufstätig. Die Familien sind kleiner geworden. Ein-Kind-Familien tauchen

*Die Familie ist weiterhin die wichtigste soziale Institution*

**Lebensformen**

Die Arten des Zusammenlebens in Deutschland sind vielfältig, doch die meisten Menschen – fast 68 Millionen – leben in Haushalten mit mehreren Personen, 16 Millionen Menschen leben alleine. Mehr als 42 Millionen leben in Eltern-Kind-Gemeinschaften, darunter etwa 20 Millionen Kinder. Knapp 23 Millionen Menschen leben als Paare zusammen, jedoch ohne Kinder. Dazu gehören überwiegend auch die 39 000 Männer und 23 000 Frauen, die mit ihren gleichgeschlechtlichen Partnern in einem Haushalt zusammenleben. Insgesamt gibt es in Deutschland schätzungsweise rund 160 000 gleichgeschlechtliche Partnerschaften.

**Alleinerziehende**

In 1,6 Millionen Familien, in denen nur ein Elternteil die Kinder erzieht, sind dies in rund 90 Prozent der Fälle die Mütter. Viele von ihnen sind nicht berufstätig oder in Teilzeit beschäftigt. Auch um ihnen die Berufsausübung zu erleichtern, sollen die Ganztagsbetreuung für Kinder und die Betreuungsmöglichkeiten für Unter-3-Jährige weiter verbessert werden.

häufiger auf als Familien mit drei und mehr Kindern. Typisch ist die Zwei-Kind-Familie. Auch ein Leben ohne Kinder – als Paar oder allein – wird öfter geführt. Fast jede dritte der 1965 geborenen Frauen ist bis heute kinderlos geblieben.

Nicht nur die **Lebensformen**, auch die moralischen Grundhaltungen unterliegen einem Wandel. Partnerschaftliche Treue ist zwar weiterhin ein wichtiger Wert, doch die Norm, eine Lebensgemeinschaft auf Dauer einzugehen, hat sich gelockert. Die Ansprüche an die Qualität einer Partnerschaft sind dagegen gestiegen. Dies ist einer der Gründe dafür, dass inzwischen etwa 40 Prozent der Ehen, die in den vergangenen Jahren geschlossen wurden, wieder geschieden werden. Eine erneute Heirat oder Partnerschaft ist die Regel. Deutlich zugenommen haben auch die nichtehelichen Lebensgemeinschaften.

Besonders bei jüngeren Menschen oder wenn gerade eine Ehe gescheitert ist, ist die „Ehe ohne Trauschein" beliebt. So ist auch die Zahl der unehelichen Geburten angestiegen: In Westdeutschland wird etwa ein Viertel, in Ostdeutschland mehr als die Hälfte der Kinder unehelich geboren. Eine Folge dieses Wandels ist die Zunahme der Stieffamilien und der Alleinerziehenden: Ein Fünftel aller Gemeinschaften mit Kindern sind **Alleinerziehende**, und dies sind in der Regel allein erziehende Mütter. Auch die innerfamiliären Verhältnisse haben sich in den vergangenen Jahrzehnten weiterentwickelt. Die Beziehungen zwischen Eltern und Kindern sind oft ausgesprochen gut und werden meist nicht mehr durch Gehorsam, Unterordnung und Abhängigkeit, sondern eher durch Mitsprache und Gleichberechtigung, durch Unterstützung, Zuwendung und Erziehung zur Selbstständigkeit geprägt.

## Frauen und Männer

Die im Grundgesetz geforderte **Gleichberechtigung** der Frauen ist in Deutschland – so wie in anderen modernen Gesellschaften auch – ein erhebliches Stück vorangekommen. So haben im Bildungsbereich die Mädchen die Jungen nicht nur eingeholt, sondern inzwischen sogar überholt. An den Gymnasien stellen sie 56 Prozent der Absolventen; der Anteil junger Frauen an den Studienanfängern der Universitäten beträgt knapp 54 Prozent. Von den Auszubildenden, die 2006 ihre Abschlussprüfung erfolgreich abgelegt haben, waren 43 Prozent junge Frauen. Immer mehr Frauen stehen im Berufsleben. Auch durch das seit 2008 geltende neue Unterhaltsrecht im Scheidungsfall wird es für Frauen immer wichtiger, einen Beruf zu haben. In Westdeutschland sind mittlerweile 67 Prozent der Frauen berufstätig, in Ostdeutschland 73 Prozent. Während Männer in der Regel

**Gleichberechtigung**
In Deutschland ist die Gleichberechtigung im Grundgesetz verankert, das Verbot der Diskriminierung aufgrund des Geschlechts bei Arbeitsbedingungen und Entgelt gesetzlich festgeschrieben und eine Vielzahl von Gesetzen zur Gewährleistung der Rechte der Frauen erlassen. Darüber hinaus engagiert sich Deutschland mit einem umfassenden Netzwerk von staatlichen und nichtstaatlichen Einrichtungen zur Gleichstellung der Geschlechter. Mit der Einführung des „Gender Mainstreaming" wird Frauenpolitik als Querschnittsaufgabe in allen Ressorts und Verwaltungen integriert. Damit übernimmt der Staat eine aktive Rolle bei der Herstellung gleicher Lebensbedingungen für Mann und Frau. Diese Maßnahmen zeigen bereits Erfolge: Bei dem GEM-Index der Vereinten Nationen, der die Beteiligung von Frauen in Wirtschaft und Politik misst, gehört Deutschland mit Rang 9 zu den bestplatzierten Ländern der Welt.

➕ **Frauen in Deutschland**

**Mädchen mit bester Bildung**
In den vergangenen Jahren sind wichtige Schritte nicht nur zur rechtlichen, sondern auch zur faktischen Gleichstellung der Frauen unternommen worden. Dabei ist für viele Frauen die Berufstätigkeit von großer Bedeutung. Zwei Drittel der Frauen sind mittlerweile berufstätig, und dies ändert sich auch nicht wesentlich, wenn Kinder hinzukommen. Bei der Ausbildung der Mädchen – wesentliche Voraussetzung für die Berufsausübung – wurden große Fortschritte erzielt. Gerade bei den höher qualifizierenden Bildungsabschlüssen stellen die jungen Frauen schon die Mehrheit.

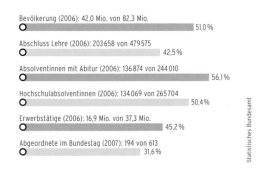

Bevölkerung (2006): 42,0 Mio. von 82,3 Mio.
51,0 %

Abschluss Lehre (2006): 203 658 von 479 575
42,5 %

Absolventinnen mit Abitur (2006): 136 874 von 244 010
56,1 %

Hochschulabsolventinnen (2006): 134 069 von 265 704
50,4 %

Erwerbstätige (2006): 16,9 Mio. von 37,3 Mio.
45,2 %

Abgeordnete im Bundestag (2007): 194 von 613
31,6 %

Statistisches Bundesamt

# Leben in Deutschland

Arbeit und Freizeit, Familie und Engagement:
Wie die Deutschen ihren Alltag gestalten, womit
sie ihre Zeit verbringen, was ihnen wichtig ist
und wofür sie sich einsetzen

66,2

19,7

Angestellte

7,5

Arbeiter

Selbstständige

Beamte 5,0

**Berufliche Stellung
von Frauen**
(in Prozent)

Statistisches Bundesamt

### Hoher Anteil von berufstätigen Frauen

Von den 37 Millionen Berufstätigen (im Jahr 2006;
davon in den neuen Bundesländern: 7,4 Millionen)
sind 17 Millionen Frauen. Das entspricht einem Anteil
von 45 Prozent; im Osten Deutschlands sind es sogar
47 Prozent. Damit sind etwa 68 Prozent der erwerbs-
fähigen Frauen berufstätig

### Trend zu mehr Teilzeit

Immer mehr Beschäftigte arbeiten
in Teilzeit. 2006 waren es 8,6 Millionen. Sie stellen mittlerweile 26,2 Prozent der abhängig Beschäftigten.
Überwiegend sind es Frauen – meis-
tens Mütter –, die in Teilzeit arbeiten,
sie übernehmen 82 Prozent dieser
Jobs. So ergibt sich durchschnittlich eine
Wochenarbeitszeit für Männer von über
40 Stunden, bei Frauen liegt sie bei etwa
30 Stunden

Statistisches Bundesamt

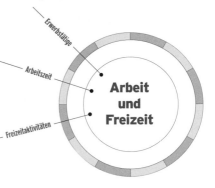

Erwerbstätige

Arbeitszeit

Freizeitaktivitäten

**Arbeit
und
Freizeit**

### Die beliebtesten
**Freizeitaktivitäten** (in Prozent)

| | |
|---|---|
| Zu Hause entspannen | 70 |
| Heimwerken/Garten | 38 |
| Ausgehen | 38 |
| Sport | 25 |
| Kino | 25 |
| Kultur | 15 |

GFK

### Sechs Stunden freie Zeit

Heute haben die Menschen in Deutschland
mehr Freizeit als noch vor zehn Jahren – im
Durchschnitt rund sechs Stunden am Tag. Am
liebsten verbringen sie diese Zeit zu Hause
und entspannen etwa zwei Stunden mit
Fernsehen oder Musikhören. Männer kommen
auf fast eine halbe Stunde mehr freie Zeit als
Frauen

### Fast jeder Dritte wohnt in einer Großstadt

Deutschland ist eines der am dichtesten besiedel-
ten Länder. In München leben fast 4200 und in
Berlin 3800 Einwohner pro Quadratkilometer, in
Mecklenburg-Vorpommern hingegen nur 73. Rund
29 Millionen Menschen, das sind gut 35 Prozent,
leben in Gemeinden und Kleinstädten mit bis zu
20 000 Einwohnern. Mehr als 30 Prozent wohnen
in den Großstädten mit mehr als 100 000 Einwohnern, von denen es in Deutschland 82 gibt

### Die größten Städte Deutschlands
(in tausend Einwohnern)

| | |
|---|---|
| Berlin | 3404 |
| Hamburg | 1754 |
| München | 1295 |
| Köln | 1000 |
| Frankfurt/M. | 662 |

Statistisches Bundesamt

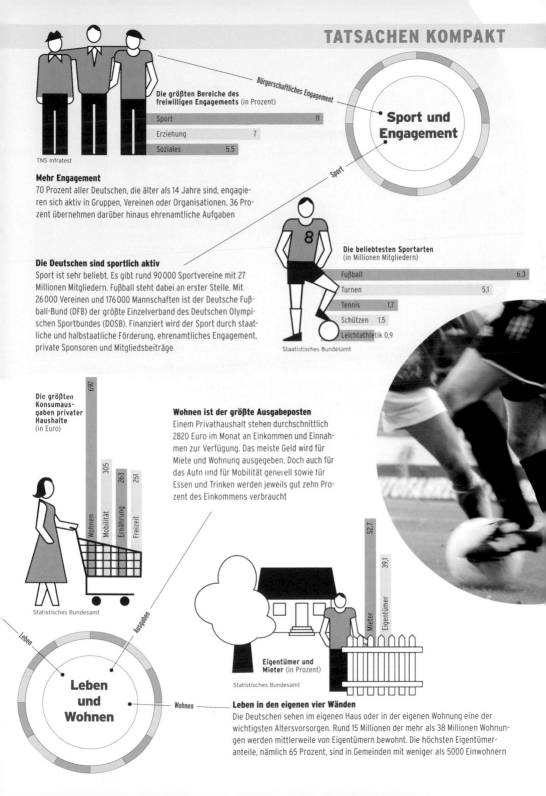

**Die größten Bereiche des freiwilligen Engagements** (in Prozent)

| | |
|---|---|
| Sport | 11 |
| Erziehung | 7 |
| Soziales | 5,5 |

TNS Infratest

Bürgerschaftliches Engagement

**Sport und Engagement**

Sport

## Mehr Engagement

70 Prozent aller Deutschen, die älter als 14 Jahre sind, engagieren sich aktiv in Gruppen, Vereinen oder Organisationen. 36 Prozent übernehmen darüber hinaus ehrenamtliche Aufgaben

## Die Deutschen sind sportlich aktiv

Sport ist sehr beliebt. Es gibt rund 90 000 Sportvereine mit 27 Millionen Mitgliedern. Fußball steht dabei an erster Stelle. Mit 26 000 Vereinen und 176 000 Mannschaften ist der Deutsche Fußball-Bund (DFB) der größte Einzelverband des Deutschen Olympischen Sportbundes (DOSB). Finanziert wird der Sport durch staatliche und halbstaatliche Förderung, ehrenamtliches Engagement, private Sponsoren und Mitgliedsbeiträge

**Die beliebtesten Sportarten** (in Millionen Mitgliedern)

| | |
|---|---|
| Fußball | 6,3 |
| Turnen | 5,1 |
| Tennis | 1,7 |
| Schützen | 1,5 |
| Leichtathletik | 0,9 |

Staatistisches Bundesamt

**Die größten Konsumausgaben privater Haushalte** (in Euro)

| | |
|---|---|
| Wohnen | 697 |
| Mobilität | 305 |
| Ernährung | 263 |
| Freizeit | 251 |

Statistisches Bundesamt

## Wohnen ist der größte Ausgabeposten

Einem Privathaushalt stehen durchschnittlich 2820 Euro im Monat an Einkommen und Einnahmen zur Verfügung. Das meiste Geld wird für Miete und Wohnung ausgegeben. Doch auch für das Auto und für Mobilität generell sowie für Essen und Trinken werden jeweils gut zehn Prozent des Einkommens verbraucht

Leben

Ausgaben

**Leben und Wohnen**

Wohnen

**Eigentümer und Mieter** (in Prozent)

| | |
|---|---|
| Mieter | 52,7 |
| Eigentümer | 39,1 |

Statistisches Bundesamt

## Leben in den eigenen vier Wänden

Die Deutschen sehen im eigenen Haus oder in der eigenen Wohnung eine der wichtigsten Altersvorsorgen. Rund 15 Millionen der mehr als 38 Millionen Wohnungen werden mittlerweile von Eigentümern bewohnt. Die höchsten Eigentümeranteile, nämlich 65 Prozent, sind in Gemeinden mit weniger als 5000 Einwohnern

*Frauen in der Arbeitswelt:
Bereits 45 Prozent aller
Erwerbstätigen sind weiblich*

**Spitzenpositionen**
Von den „Top-Führungskräften"
stellen Frauen in Deutschland
etwa 21 Prozent, jede dritte der
Führungspositionen ist mit einer
Frau besetzt. In den neuen
Bundesländern fällt das Verhältnis zwischen weiblichen und
männlichen Führungskräften
deutlich günstiger aus. Dort sind
gut 42 Prozent der Führungskräfte weiblich und immerhin
29 Prozent der Top-Positionen
mit Frauen besetzt. Im Westen
sind dies nur 32 bzw. 20 Prozent.
Die Chance, Leitungsfunktionen
übernehmen zu können, hängt
stark von der Branche ab:
Am höchsten ist sie im Dienst-
leistungsbereich, wo 53 Prozent
der Führungskräfte Frauen sind.
Im Baugewerbe sind es nur
14 Prozent.

einer Vollzeitbeschäftigung nachgehen, arbeiten Frauen
häufig, besonders jene mit kleineren Kindern, in Teilzeit.

Auch bei Löhnen und Gehältern bestehen nach wie
vor Differenzen zwischen den Geschlechtern: So verdienen
Arbeiterinnen nur 74 Prozent des Gehalts ihrer männlichen
Kollegen und Angestellte lediglich 71 Prozent. Dies hat im
Wesentlichen damit zu tun, dass Frauen häufig in niedrigeren und damit schlechter bezahlten Positionen arbeiten.
Auch wenn sie inzwischen häufiger in die **Spitzenpositionen**
der Berufswelt vorrücken, stoßen sie dabei nach wie vor auf
erhebliche Karrierehindernisse. So sind zum Beispiel zwar
knapp die Hälfte der Studierenden, aber nur ein Drittel der
wissenschaftlichen Mitarbeiter und lediglich 15 Prozent der
Professoren Frauen.

Ein Haupthindernis beim beruflichen Aufstieg liegt
darin, dass das Netz der Kinderbetreuung gerade für kleinere Kinder im europäischen Vergleich weniger gut ist und
sich auch an der häuslichen Arbeitsteilung zwischen Frau-
en und Männern nur relativ wenig verändert hat. Der Kern
der traditionellen Hausarbeiten – Waschen, Putzen und
Kochen – wird in 75 bis 90 Prozent der Familien von den
Frauen erledigt. Und obwohl 80 Prozent der Väter angeben,
dass sie gerne mehr Zeit mit ihren Kindern verbringen wür-
den, investieren Frauen, selbst die erwerbstätigen, doppelt
so viel Zeit in die Kinderbetreuung wie ihre Männer. Bisher
waren es auch fast ausschließlich die Frauen, die in Elternzeit gingen. Doch hat sich schon in den ersten neun Mona-

ten nach Einführung des Elterngeldes im Januar 2007 (siehe Seite 151) der Anteil der Väter, die im Beruf pausieren, um sich der Kinderbetreuung zu widmen, mit fast 9,6 Prozent fast verdreifacht. Die Hälfte der Männer will allerdings nur zwei Monate zu Hause bleiben.

*Die Clique: Zentrale Bezugsgruppe für Jugendliche*

In der Politik haben die Frauen sich inzwischen etabliert. In den beiden großen Parteien SPD und CDU ist fast jedes dritte beziehungsweise vierte Mitglied weiblich. Bemerkenswert entwickelt hat sich der Anteil der Frauen im Bundestag: 1980 stellten sie nur acht Prozent der Parlamentarier, 2005 waren es fast 32 Prozent. Im gleichen Jahr wurde Angela Merkel die erste Bundeskanzlerin Deutschlands.

## Jugend

Die zentrale Bezugsgruppe der jungen Menschen ist – neben den Cliquen der Gleichaltrigen, deren Bedeutung stark zugenommen hat – die Familie. Noch nie lebten so viele Jugendliche – 73 Prozent der Jugendlichen im Alter von 18 bis 21 Jahren – so lange im Haushalt ihrer Eltern wie heute. Fast alle 12- bis 29-Jährigen geben an, ein sehr gutes und vertrauensvolles Verhältnis zu ihren Eltern zu haben.

Eine Ursache für den längeren Verbleib in der Familie ist, dass immer mehr junge Menschen immer länger im

 **Wertepriorität von Jugendlichen**

**Freunde und Familie immer wichtiger**

Die Jugendlichen in Deutschland sind im Vergleich zu den achtziger Jahren deutlich pragmatischer geworden. Leistung, Engagement und Zielorientierung prägen die junge Generation. Die 12- bis 25-Jährigen legen heute großen Wert auf Freundeskreis und Familie. Vor dem Hintergrund zunehmend sensiblerer Wahrnehmung gesellschaftlicher Probleme – insbesondere im Hinblick auf die eigene berufliche Zukunft – wird hier Sicherheit und Rückhalt gesucht. 69 Prozent sind besorgt über die Möglichkeit, ihren Arbeitsplatz zu verlieren bzw. keine adäquate Beschäftigung finden zu können.

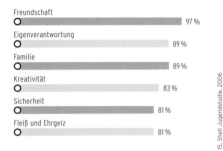

Freundschaft — 97 %
Eigenverantwortung — 89 %
Familie — 89 %
Kreativität — 83 %
Sicherheit — 81 %
Fleiß und Ehrgeiz — 81 %

15. Shell Jugendstudie, 2006

**Qualifikationsniveau**
Rund 60 Prozent der Jugendlichen eines Jahrgangs beginnen nach der Schule eine Berufsausbildung in einem staatlich anerkannten Ausbildungsberuf entweder als duale Berufsausbildung oder als schulische Ausbildung an einer Berufsfachschule. Gut 36 Prozent nehmen ein Studium an einer der 383 Hochschulen auf.

**Soziales Engagement**
Das Engagement jüngerer Menschen ist in Deutschland hoch: 36 Prozent aller Jugendlichen zwischen 14 und 24 Jahren engagieren sich ehrenamtlich. Sie setzen sich besonders für Sport, Freizeit und Geselligkeit, im schulischen, kulturellen oder im kirchlichen Bereich sowie bei den Rettungsdiensten ein. In manchen Feldern ist der Anteil der jugendlichen Engagierten so groß, dass diese ohne sie gar nicht auskommen könnten – so zum Beispiel in den Sportvereinen. Die Hälfte der Jugendlichen ist in Vereinen, ein Viertel in gesellschaftlichen Großorganisationen, besonders in den Kirchen, engagiert.

Bildungssystem bleiben. Ihr **Qualifikationsniveau** ist deutlich gestiegen. Insgesamt erwerben 43,4 Prozent eines Jahrgangs (18- bis 20-Jährige) eine Studienberechtigung, 36 Prozent eines Jahrgangs nehmen dann auch mittelfristig ein Studium auf. Zu den Problemgruppen im Bildungssystem gehören vor allem junge Menschen aus sozial schwachen Schichten und aus Migrantenfamilien.

Im Vergleich zu früheren Jugendgenerationen sind die Jugendlichen pragmatischer geworden und haben nicht nur ein gutes Verhältnis zur Elterngeneration, sondern auch zur Demokratie: Die pessimistische Protest- und „Null Bock"-Haltung der achtziger Jahre ist weitgehend einem unideologischen, optimistischen Pragmatismus gewichen. Die heutige junge Generation ist erfolgsorientiert und leistungsbereit. Ihre Lebensmaxime kann man auf die Formel „Aufstieg statt Ausstieg" bringen.

Auf einem traditionellen Links-rechts-Schema ordnet sich die Jugend – wie üblich – etwas links von der Gesamtbevölkerung ein; politische Extrempositionen werden aber nur sehr selten vertreten. Sehr hoch dagegen ist die Bereitschaft zu **sozialem Engagement**. Rund drei Viertel aller Jugendlichen setzen sich für soziale und ökologische Belange ein: für hilfsbedürftige ältere Menschen, für Umwelt- und Tierschutz, für Arme, Migranten oder Behinderte. Das Interesse an Politik, Parteien oder Gewerkschaften ist dagegen rückläufig. Nur

*Junge Menschen: Der Einsatz für andere gehört zu ihrem Lebensstil selbstverständlich dazu*

noch 30 Prozent der 12- bis 25-Jährigen bekunden politisches Interesse, unter den jungen Erwachsenen und den Studierenden sind es mit 44 bzw. 64 Prozent deutlich mehr.

## Ältere Menschen

In Deutschland ist etwa jeder Vierte über 60 Jahre alt. Wegen der seit langem niedrigen Geburtenraten und der steigenden Lebenserwartung hat die deutsche Gesellschaft nach Japan und Italien weltweit den dritthöchsten Anteil an älteren Menschen. Ihre Lebensformen und **Lebensstile** haben sich in den letzten Jahrzehnten stark verändert. Die überwiegende Mehrheit der älteren Menschen wohnt heute selbstständig. Sie leben meist in der Nähe ihrer Kinder und haben zu diesen regen sozialen Kontakt. Die „jungen Alten", die jünger als 75 oder 80 Jahre sind, sind meist auch gesundheitlich in der Lage, weiterhin ein selbstständiges Leben mit neuen Zielen zu führen und ihre Freizeit aktiv zu gestalten.

Finanziell ist die ältere Generation weitgehend abgesichert: Die Rentenreform von 1957 hat die Rentnerinnen und Rentner nach und nach zur vollen Teilhabe am Wohlstand geführt. Heute ist es ihnen sogar möglich, ihre Kinder beim Aufbau einer eigenen Familie finanziell zu unterstützen. Die Altersarmut ist nicht völlig beseitigt, aber das Armutsrisiko liegt niedriger als bei anderen Altersgruppen.

Drei-Generationen-Familien wohnen zwar nur noch sehr selten unter einem Dach, aber zwischen den erwachsenen Kindern und ihren Eltern sowie zwischen Großeltern und ihren Enkeln bestehen starke emotionale Bindungen. Ein Modellprojekt der Bundesregierung will den Zusammenhalt der Generationen weiter stärken. So soll in den nächsten Jahren in jedem Landkreis und in jeder kreisfreien Stadt in Deutschland ein so genanntes Mehr-Generationen-Haus entstehen. Die inzwischen 460 geförderten Häuser sind Anlaufstelle, Netzwerk und Drehscheibe für Familienberatung, Gesundheitsförderung, Krisenintervention und Hilfeplanung.

**Lebensstil der älteren Generation**
Senioren werden nicht nur älter, sie sind auch gesünder, fitter und aktiver als die Generationen vor ihnen. Ökonomisch sind sie gut ausgestattet: Die über 60-Jährigen verfügen über fast ein Drittel der gesamten Kaufkraft. Der Lebensstil der Generation 50+ hat sich erheblich gewandelt und die aktive Gestaltung der Freizeit wird immer wichtiger. Dabei steht laut einer SWR-Studie die Pflege sozialer Kontakte im Vordergrund. Neben Fernsehen (Nachrichten), Radio (Klassik) und der Zeitungslektüre ist die beliebteste Freizeitbeschäftigung der Sport.

**Ausländische Bevölkerung**

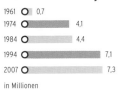

| 1961 | 0,7 |
| 1974 | 4,1 |
| 1984 | 4,4 |
| 1994 | 7,1 |
| 2007 | 7,3 |

in Millionen

Statistisches Bundesamt

**Zuwanderung**
Deutschland war bereits im 19. Jahrhundert Zielland für eine große Zahl von Migranten und ist seit der zweiten Hälfte des 20. Jahrhunderts in Europa zum Land mit der größten Zahl von Zuwanderern geworden. Noch 1950 lag der Anteil der Ausländer an der Gesamtbevölkerung der Bundesrepublik Deutschland mit lediglich etwa 500 000 bei etwa einem Prozent. Dies hat sich nachhaltig geändert: Derzeit leben etwa 7,3 Millionen Ausländer in Deutschland, das sind 8,8 Prozent der Gesamtbevölkerung, darunter 2,2 Millionen Bürger der EU. Etwa jeder fünfte in Deutschland lebende Ausländer wurde bereits hier geboren und gehört somit zur zweiten oder dritten Migrantengeneration.

## Migration und Integration

Die deutsche Wirtschaft ist seit dem Nachkriegsboom der fünfziger Jahre auf Arbeitsmigranten angewiesen. Die meisten der damals so genannten „Gastarbeiter" sind in ihre süd- und südosteuropäischen Heimatländer zurückgekehrt, aber viele sind zum Leben und Arbeiten in Deutschland geblieben. Geblieben sind auch viele der später zugewanderten türkischen Migranten. Deutschland hat sich allmählich von einem Gastarbeiterland zu einem Land mit gesteuerter Zuwanderung entwickelt.

Eine zweite große Gruppe von Einwanderern bilden die deutschstämmigen Aussiedler, die seit vielen Generationen in den Staaten der früheren Sowjetunion, in Rumänien und in Polen gelebt haben und – verstärkt nach dem Zusammenbruch der kommunistischen Systeme – nach Deutschland zurückkehren. Diese beiden Einwanderergruppen haben erreicht, dass die Anzahl der **Zuwanderung** pro Kopf

### Religionen

Etwa zwei Drittel der Bevölkerung bekennen sich in Deutschland zu einer christlichen Konfession. Etwa die Hälfte davon ist römisch-katholisch, die andere Hälfte evangelisch. Fast ein Drittel gehört keiner Religionsgemeinschaft an. Dies ist zum Großteil auf die Wiedervereinigung mit den überwiegend konfessionslosen Bürgern der neuen Bundesländer zurückzuführen.
Nach dem nationalsozialistischen Völkermord lebten nur noch wenige Menschen jüdischen Glaubens in Deutschland. Mittlerweile haben die jüdischen Gemeinden gut 100 000 Mitglieder. Zunehmend gewinnen in Deutschland auch andere Religionen an Bedeutung. So bekennen sich viele der in Deutschland lebenden Ausländer zum Islam: Etwa 3,3 Millionen Muslime aus rund 40 Nationen leben in Deutschland, weshalb dem Dialog mit dem Islam eine große Bedeutung zukommt.
Das Grundgesetz gewährleistet die Freiheit des Glaubens sowie die freie Religionsausübung. Deutschland hat keine Staatskirche. Der Staat beteiligt sich aber unter anderem an der Finanzierung konfessioneller Kindergärten und Schulen. Die Kirchen erheben eine Kirchensteuer, die vom Staat eingezogen wird, um soziale Dienste wie Beratungsstellen, kirchliche Kindergärten, Schulen, Krankenhäuser und Altenheime zu finanzieren.
Der schulische Religionsunterricht hat in Deutschland eine einzigartige Stellung: Er steht unter staatlicher Aufsicht, aber in inhaltlicher Verantwortung der Kirchen.

der Bevölkerung in Deutschland in den achtziger Jahren sogar erheblich höher lag als in klassischen Einwanderungsländern wie den USA, Kanada oder Australien. Mehr als sieben Millionen Ausländer, das sind fast neun Prozent der Bevölkerung, leben in Deutschland. Hinzu kommen etwa 1,5 Millionen eingebürgerte ehemalige Ausländer und etwa 4,5 Millionen Aussiedler. Insgesamt leben in Deutschland rund 15 Millionen Menschen mit Migrationshintergrund, zu denen nach Definition des Statistischen Bundesamtes u. a. auch eingebürgerte Ausländer sowie Kinder mit einem ausländischen Elternteil zählen.

Unter den Ausländern stellen die türkischen Staatsangehörigen mit etwa 1,7 Millionen die größte Gruppe, an zweiter Stelle stehen die Italiener (530 000). Bei der Integration der Migranten in den vergangenen beiden Jahrzehnten sind Fortschritte erzielt worden: Der Erwerb der deutschen Staatsangehörigkeit wurde gesetzlich erleichtert, die Kontakte zwischen Migranten und Deutschen sind intensiver, die Akzeptanz der ethno-kulturellen Vielfalt hat zugenommen. Und mit dem neuen **Zuwanderungsgesetz** gibt es erstmals eine umfassende gesetzliche Regelung, die alle Bereiche der Migrationspolitik berücksichtigt. Doch bleibt Integration eine Herausforderung an Politik und Gesellschaft. Die Bundesregierung sieht in der Integration der in Deutschland lebenden Ausländer einen Schwerpunkt ihrer Arbeit. Dabei stehen Sprachförderung, Bildung und die Integration in den Arbeitsmarkt im Vordergrund. Im Juli 2006 hatte Bundeskanzlerin Angela Merkel zu einem ersten Integrationsgipfel mit Vertretern aller für Integration relevanten gesellschaftlichen Gruppen eingeladen. Das Ergebnis – der „Nationale Integrationsplan" – wurde Mitte 2007 vorgestellt. Er enthält klare Ziele sowie über 400 konkrete Maßnahmen der staatlichen und nichtstaatlichen Akteure: So soll ein Netzwerk von Bildungspaten Kinder und Jugendliche aus Zuwandererfamilien in Schule und Ausbildung unterstützen, und die Wirtschaftsverbände sagten zu, jungen Migrantinnen und Migranten bessere Chancen bei der Ausbildung zu gewähren. Die Umsetzung des Plans soll regelmäßig überprüft werden. ●

*Ethno-kulturelle Vielfalt: Etwa jeder fünfte Einwohner ist zugewandert oder stammt aus einer Migrantenfamilie*

**Zuwanderungsgesetz**
Anfang 2005 trat das erste Zuwanderungsgesetz der deutschen Geschichte in Kraft. Es unterscheidet zwischen befristeter Aufenthalts- und unbefristeter Niederlassungserlaubnis. Gleichzeitig sind Maßnahmen zur Integration der Zuwanderer – wie verpflichtende Sprachkurse – verankert worden.

**Rainer Geißler**
Der Professor für Soziologie an der Universität Siegen ist Autor des Soziologie-Standardwerks „Die Sozialstruktur Deutschlands".

## Soziale Sicherung

WOHLSTAND FÜR ALLE UND SOZIALE GERECHTIGKEIT: Das war das Ziel, das der damalige Bundeswirtschaftsminister Ludwig Erhard in den späten fünfziger Jahren vor Augen hatte, als er die Soziale Marktwirtschaft in Deutschland etablierte. Das „Modell Deutschland" entwickelte sich zur Erfolgsgeschichte und in vielen Ländern zum Vorbild. Einer der Grundpfeiler dieses Erfolgs ist sein umfassendes Sozialsystem. Deutschland verfügt über eines der dichtest gewebten Sozialnetze: 27,6 Prozent des Bruttoinlandsprodukts fließen in öffentliche Sozialausgaben – die USA, zum Vergleich, investieren in diesen Bereich 16,2 Prozent, der OECD-Schnitt liegt bei 20,7 Prozent. Ein umfassendes System aus Kranken-, Renten-, Unfall-, Pflege- und **Arbeitslosenversicherung** schützt vor den finanziellen Folgen existenzieller Risiken. Daneben umfasst das soziale Netz steuerfinanzierte Leistungen wie den Familienleistungsausgleich (Kindergeld, steuerliche Vergünstigungen) oder die Grundsicherung für Rentner und dauerhaft Erwerbsunfähige. Deutschland versteht sich als **Sozialstaat**, der die soziale Absicherung aller Bürgerinnen und Bürger als eine vorrangige Aufgabe begreift.

Die wohlfahrtsstaatlichen Sozialsysteme haben in Deutschland eine Tradition, die in die Zeit der Industrialisierung zurückreicht. Reichskanzler Otto von Bismarck entwickelte im späten 19. Jahrhundert die Grundzüge der staatlichen Sozialversicherung; unter seiner Ägide entstanden die Gesetze zur Unfall- und Krankenversicherung sowie zur Invaliditäts- und Alterssicherung. Während damals nur ein Zehntel der Bevölkerung von der Sozialgesetzgebung profitierte, stehen heute nahezu 90 Prozent der Menschen in Deutschland unter ihrem Schutz.

In späteren Jahrzehnten wurde das soziale Netz ausgebaut und gleichzeitig verfeinert; so kamen 1927 eine Versicherung gegen die finanziellen Folgen der Arbeitslosigkeit und 1995 die **Pflegeversicherung** hinzu. Das 21. Jahrhundert verlangt nun grundsätzliche und strukturelle Neuorientierungen der Systeme, zumal mit Blick auf deren dauerhafte

Finanzierbarkeit: Der zunehmende Anteil älterer Menschen an der Bevölkerung in Verbindung mit der vergleichsweise niedrigen Geburtenrate und die Entwicklungen auf dem Arbeitsmarkt haben die sozialen Sicherungssysteme an die Grenzen der Belastbarkeit geführt. Mit umfassenden Reformen versucht die Politik den Herausforderungen zu begegnen und das soziale Netz auch für kommende Generationen solidarisch zu sichern.

## Reform des Gesundheitssystems

Deutschland zählt international zu den medizinisch am besten versorgten Ländern. Ein breites Angebot an Krankenhäusern, Arztpraxen und medizinischen Einrichtungen gewährleistet eine medizinische Versorgung für alle. Mit über vier Millionen Arbeitsplätzen ist das Gesundheitswesen gleichzeitig der größte Beschäftigungszweig in Deutschland. Insgesamt fließen 10,7 Prozent des Bruttoinlandspro-

**Pflegeversicherung**
Die Versicherung gegen das Risiko der Pflegebedürftigkeit wurde 1995 als „fünfte Säule" der Sozialversicherung eingeführt. Finanziert wird die obligatorische Pflegeversicherung in einem Umlageverfahren durch paritätische Beiträge von Arbeitgebern und Arbeitnehmern. Geplant ist die Ergänzung dieser Finanzierung durch kapitalgedeckte Elemente.

## Familienfreundliche Gesellschaft

Familienförderung spielt in Deutschland eine zunehmend wichtige Rolle und wird entsprechend staatlich unterstützt. Damit Männer und Frauen sich wieder verstärkt für Nachwuchs entscheiden, gibt es seit 2007 statt des bisherigen Erziehungsgeldes ein einkommensabhängiges und aus Steuern finanziertes Elterngeld: Für die Dauer eines Jahres erhält ein Elternteil, das wegen Kindererziehung im Beruf pausiert, 67 Prozent des letzten Nettoeinkommens, mindestens 300, maximal 1800 Euro. Das Elterngeld verlängert sich auf 14 Monate, wenn der zweite Elternteil mindestens zwei Monate seine Erwerbstätigkeit ebenfalls reduziert. Damit soll die Elternzeit auch für Väter selbstverständ-

licher werden. Gleichzeitig wird die Kinderbetreuung weiter ausgebaut. Auch bisher hat schon jedes Kind vom dritten Geburtstag an bis zum Schuleintritt rechtlich einen Anspruch auf einen Kindergartenplatz. Bis zum Jahr 2013 sollen auch für Kinder unter drei Jahren 750 000 Krippenplätze, und damit Platz für ein Drittel der Kinder, zur Verfügung stehen. Dies soll dazu beitragen, dass Mütter und Väter Beruf und Familie leichter verbinden können. Ein Kindergeld in Höhe von 154 Euro monatlich (vom vierten Kind an 179 Euro) gibt es für alle Kinder bis zum 18. Lebensjahr. Ein wichtiger Beitrag zur Unterstützung junger Eltern ist auch der Rechtsanspruch auf eine bis zu dreijährige Freistellung vom Arbeitsplatz in der Elternzeit. Außerdem besteht für junge Eltern Anspruch auf einen Teilzeitarbeitsplatz, sofern dem keine betrieblichen Gründe entgegenstehen.

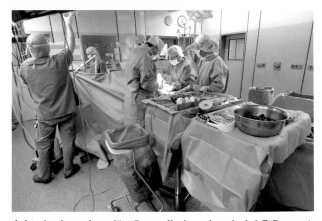

*Auf hohem Niveau: Deutschland gehört zu den medizinisch am besten versorgten Ländern*

### Krankenversicherung

Fast alle Einwohner Deutschlands sind in einer gesetzlichen (88 Prozent) oder privaten Krankenkasse (knapp 12 Prozent) versichert. Die Krankenkassen übernehmen die Kosten für ärztliche Behandlung, Medikamente, Krankenhausaufenthalt und Vorsorge. Die Beiträge für die Krankenversicherung werden von den Arbeitnehmern und Arbeitgebern aufgebracht. Für nicht erwerbstätige Angehörige der gesetzlich Versicherten müssen keine Beiträge gezahlt werden.

### Unfallversicherung

Die gesetzliche Unfallversicherung ist eine Haftpflichtversicherung der Unternehmer zugunsten der Arbeitnehmer, die so vor den Folgen eines Arbeitsunfalls oder einer Berufskrankheit geschützt werden.

dukts in Ausgaben für Gesundheit – das sind 1,7 Prozentpunkte mehr als im Durchschnitt der OECD-Länder. Aufgrund des sogenannten Kostendämpfungsgesetzes, das im Zuge der bisherigen Reform des Gesundheitswesens eingeführt wurde, verzeichnet Deutschland den geringsten Anstieg der Pro-Kopf-Gesundheitsausgaben unter allen OECD-Mitgliedsländern: Zwischen 2000 und 2005 stiegen die Ausgaben um real 1,3 Prozent pro Jahr, im OECD-Mittel waren es 4,3 Prozent.

Dennoch besteht weiterhin Reformbedarf. 2007 wurde deshalb eine Gesundheitsreform verabschiedet. Zentrale Säule ist dabei die Einführung eines Gesundheitsfonds: Von 2009 an werden die Beitragssätze für die

### Das Thema im Internet

**www.bmfsfj.de**
Das Bundesministerium für Familie, Senioren, Frauen und Jugend bietet unter anderem Informationen zu staatlichen Leistungen sowie Gesetzestexte (Deutsch)

**www.shell-jugendstudie.de**
Seit fünf Jahrzehnten untersuchen Wissenschaftler und Forschungs

institute - gefördert vom Energiekonzern Shell - Werte und Lebenssituation von Jugendlichen (Deutsch)

**www.bmg.bund.de**
Das Bundesministerium für Gesundheit stellt News, Hintergrundinfos und Daten sowie weiterführende Links rund um die Themen Gesundheit und Vorsorge zur Verfügung (Deutsch,

Englisch, Französisch, Spanisch, Italienisch, Türkisch)

**www.deutsche-sozialversicherung.de**
Die Website der Europavertretung der Spitzenverbände der Deutschen Sozialversicherung gibt Informationen zur Sozialversicherung in Deutschland mit zahlreichen Links (Deutsch, Englisch, Französisch)

Versicherten der gesetzlichen **Krankenversicherungen** (GKV) vereinheitlicht. Für jeden Versicherten erhalten die Krankenkassen aus dem Gesundheitsfonds einen einheitlichen Betrag. Gleichzeitig beginnt der Einstieg in die Steuerfinanzierung von Leistungen der Krankenkassen, wie zum Beispiel die beitragsfreie Mitversicherung von Kindern, mit jährlich steigender Unterstützung des Bundes bis zu einer Gesamtsumme von 14 Milliarden Euro. Von 2009 an gilt auch eine Versicherungspflicht für alle: Private Krankenkassen werden verpflichtet, Versicherte zu einem Basistarif aufzunehmen.

## Rentenreform

Grundlegende Veränderungen gibt es auch bei der Altersvorsorge. Zwar bleibt die gesetzliche **Rentenversicherung** auch weiterhin die wichtigste Säule des Alterseinkommens. Betrieblicher und privater Vorsorge wächst daneben eine immer höhere Bedeutung zu. Mit der sogenannten „Riester-Rente" sowie der „Rürup-Rente" für Selbstständige sind hier bereits Modelle vorhanden, die steuerlich begünstigt, private kapitalgedeckte Altersvorsorge möglich machen. Teil der Reform ist auch die Erhöhung des gesetzlichen Renteneintrittsalters von 65 auf 67 Jahre: Zwischen 2012 und 2035 wird das Renteneintrittsalter schrittweise um je einen Monat erhöht. Gleichzeitig werden mit einer „Initiative 50 Plus" die Beschäftigungschancen für ältere Arbeitnehmerinnen und Arbeitnehmer verbessert.

## Weitere Reformen

Schon umgesetzt wurde die Reform der Unterstützung von Langzeitarbeitslosen und Empfängern von **Sozialhilfe**. Mit der Einführung der Grundsicherung für Arbeitslose wurden die ehemaligen Sozialhilfeempfänger, sofern sie arbeitsfähig sind, den über längere Zeit Arbeitslosen gleichgestellt. Noch offen ist eine Reform der **Unfallversicherung**, die das System vor allem organisatorisch weiterentwickeln soll. •

**Rentenversicherung**
Die gesetzliche Rentenversicherung ist die wichtigste Säule der Alterssicherung. Die Finanzierung beruht auf dem Umlageverfahren: Mit den monatlichen Beiträgen der Beschäftigten und der Arbeitgeber werden die laufenden Renten derjenigen gezahlt, die heute im Ruhestand sind. Mit ihrer Beitragszahlung erwerben die Versicherten bis zum Renteneintritt eigene Ansprüche. Für diese künftigen Renten kommen wiederum die nachfolgenden Generationen mit ihren Beiträgen auf („Generationenvertrag"). Daneben bilden betriebliche und private Altersvorsorge die zweite und dritte Säule der Alterssicherung. Sie werden unter bestimmten Voraussetzungen staatlich gefördert.

**Sozialhilfe**
Ergänzt wird das soziale Netz durch die – steuerfinanzierte – Sozialhilfe. Sie greift, wenn der Einzelne seine Notlage aus eigenen Kräften und Mitteln oder durch die von Angehörigen nicht beheben kann. Zudem gibt es sozialhilfeähnliche Basisleistungen wie eine Grundsicherung im Alter oder bei dauerhafter Erwerbsunfähigkeit sowie staatliche Hilfe zum Lebensunterhalt oder in besonderen Lebenslagen.

# 10

# Kultur

Die Kulturszene in Deutschland hat viele Facetten: Rund 300 Theater und 130 Berufsorchester gibt es zwischen Flensburg und Garmisch. 500 Kunstmuseen mit international hochkarätigen und vielseitigen Sammlungen sorgen für eine beispiellose Museumslandschaft. Vital ist zudem die junge deutsche Malerei, die auch international längst zu Hause ist. Mit rund 95000 neuen und neu aufgelegten Büchern pro Jahr gehört Deutschland auch zu den großen Buchnationen. 350 Tageszeitungen und tausende Zeitschriftentitel sind Beleg für eine lebendige Medienlandschaft. Neue Erfolge feiert auch der deutsche Film - und dies nicht nur in deutschen Kinos, sondern in vielen Ländern der Welt.

# Dem Wahren, Schönen, Guten – die Kulturszene in Deutschland

DAS LAND DER DICHTER UND DENKER. Goethe kommt aus Deutschland, ebenso wie Beethoven und Bach. Und doch hat diese Kulturnation keine wirklich nationale kulturelle Kompetenz. Kultur ist Ländersache, so steht es im Grundgesetz. Die Länder sehen sich als Bewahrer und Förderer eines **Kulturföderalismus** in Deutschland. Warum eigentlich sind die Angelegenheiten der Kultur in Deutschland etwas, was die Nation als Ganzes nicht regeln kann oder sollte? Deutsche Kultur als Ausdruck einer deutschen Nation stand seit der kaiserlich-wilhelminischen Ära des späten 19. Jahrhunderts unter dem Verdacht der Großmannssucht. Die Katastrophe des Nationalsozialismus führte schließlich zu einer konsequenten Neuorientierung. Nach dem Zweiten Weltkrieg vertiefte sich die Einsicht, dass Deutschland nur dann in die Weltgemeinschaft zurückkehren kann, wenn es jeden Anschein eines übersteigerten nationalen Kultur-Pathos vermeidet. Dies wiederum führte zum Abschied von jeder nationalen Kulturpolitik in Deutschland.

Dennoch sind die Kultureinrichtungen in Deutschland breiter gestreut als in den meisten anderen Ländern. Der Kulturföderalismus weckt auch den Ehrgeiz der einzelnen Bundesländer. Kulturpolitik ist Standortpolitik. Das Land Baden-Württemberg wirbt offen mit Kultur als „weichem Standortfaktor". Die Filmförderung wurde ebenfalls zu einem föderalen Lenkungsinstrument. Geld gibt es von dort, wo auch produziert wird. Die Berg- und Stahlarbeiterregion Ruhrgebiet, die zum Bundesland Nordrhein-Westfalen gehört, rüstet sich seit Ende des 20. Jahrhunderts zum

*Am Pult der Berliner Philharmoniker: Sir Simon Rattle*

**Kulturföderalismus**
Kultur ist in Deutschland infolge der föderalen Struktur das Kernstück der Eigenstaatlichkeit der 16 Bundesländer. Das Grundgesetz räumt dem Bund in Fragen der Kultur nur geringe Kompetenzen ein, weshalb die meisten kulturellen Einrichtungen von den Ländern und Kommunen unterhalten werden. Dieses kulturelle Eigenleben der Länder hat überall Kulturzentren entstehen lassen. Selbst in kleineren Städten gibt es kulturelle Angebote von internationalem Rang. Länderübergreifend wirkt der Deutsche Kulturrat, der als politisch unabhängige Arbeitsgemeinschaft der Bundeskulturverbände agiert und spartenübergreifende Fragen in die kulturpolitische Diskussion einbringt.

**Staatsminister für Kultur und Medien**
Da Kultur in Deutschland Ländersache ist, gibt es kein Ministerium für Kultur auf Bundesebene. Die kulturpolitischen Aktivitäten des Bundes koordiniert ein Staatsminister für Kultur.

**Kulturstiftung des Bundes**
Die Kulturstiftung des Bundes wurde im Jahr 2002 gegründet und ist eine bundesweit und international tätige Institution, die sich – durch entsprechende Projektförderung – in erster Linie den Herausforderungen der Kunst und Kultur im 21. Jahrhundert widmet. Sitz der Kulturstiftung des Bundes ist Halle an der Saale.

erfolgreichen Kulturland um. Erst seit 1998 gibt es in Berlin einen **Staatsminister für Kultur und Medien** im Bundeskanzleramt. Und seither begreift Deutschland die eine oder andere kulturelle Angelegenheit wieder als Auftrag an die Nation.

Die Bundesfilmförderung wurde neu organisiert, eine **Kulturstiftung des Bundes** gegründet. Berlin entwickelt sich dabei immer mehr zum kulturellen Magneten und ist inzwischen ein einzigartiges kulturelles Kräftefeld, ein Schmelztiegel der Kulturen, in dessen Museen sich die ganze Menschheitsgeschichte spiegelt. Das Holocaust-Mahnmal im Herzen der Stadt ist eine in Stein gehauene Reifeprüfung, wie die Kulturnation Deutschland mit ihrer Geschichte umgeht. Ein beeindruckender Beleg für die im neuen Jahrtausend notwendig gewordene nationale Kulturpolitik. Den grundgesetzlich gewollten Kulturföderalismus kann man beibehalten, er bleibt Garant für ein breit aufgestelltes, niveauvolles Kulturleben in ganz Deutschland.

## Literatur

Deutschland ist ein Bücherland: Mit jährlich rund 95000 neuen und neu aufgelegten Büchern gehört es zu den führenden Buchnationen. Fast 9000 Lizenzen deutscher Bücher werden jährlich ins Ausland verkauft. Jedes Jahr im Herbst trifft sich in Deutschland auch die Verlagswelt zum größten Branchenmeeting, zur **Internationalen Frankfurter Buchmesse**. Daneben hat sich die kleinere Leipziger Buchmesse im Frühjahr inzwischen ebenfalls etabliert.

*Neue Erzähler: Daniel Kehlmann und Julia Franck („Die Mittagsfrau"), Gewinnerin des Deutschen Buchpreises 2007*

Die Lust am Lesen ist den Deutschen trotz Internet und Fernsehen nicht abhandengekommen. Viel getan hat sich in jüngster Zeit in der Literaturszene. Zwar findet die Generation der im Nachkriegsdeutschland führenden Autoren wie Hans Magnus Enzensberger, Siegfried Lenz, Christa Wolf und Literaturnobelpreisträger Günter Grass immer noch Beachtung, doch ihre Literatur steht zu Beginn des 21. Jahrhunderts nicht mehr für ästhetische Innovation.

Während nach dem Zweiten Weltkrieg moralische Antworten gesucht werden und in der Folge von 1968 sozi-

ale Analysen überwiegen, stehen die Jahre nach dem Mauerfall im Zeichen der Massenkultur, in der jede Veranstaltung zum Event, der Autor ein Popstar zum Anfassen wird. Und heute? Was dominiert auf dem deutschen **Buchmarkt**? Die Fortführung erzählerischer Traditionen auf hohem Niveau lösen Schriftsteller wie Sten Nadolny, Uwe Timm, F. C. Delius, Brigitte Kronauer und Ralf Rothmann ein, die sich schon vor den neunziger Jahren zu Wort meldeten. Das Leiden an der Gegenwart, die Kunst als letzter Ort der Selbstbehauptung: Dahin machte sich Botho Strauß auf den Weg.

Nachdem die Literatur der jüngeren Generation in den 80er- und 90er-Jahren weniger intensiv aufgenommen wurde – mit Ausnahme der internationalen Bestseller „Das Parfum" von Patrick Süskind oder „Der Vorleser" von Bernhard Schlink –, änderte sich das Bild seit der Jahrtausendwende spürbar. Heute gibt es eine neue Lust am Erzählen, mit der Autoren wie Daniel Kehlmann, Thomas Brussig, Katharina Hacker, Julia Franck oder Ilija Trojanow auch die deutschen Leserinnen und Leser anstecken: Sie lesen ihre eigene Literatur derzeit so intensiv wie selten zuvor. Die Auflagenzahlen von Kehlmanns „Die Vermessung der Welt", einem Roman, der 2006 zu den international meistverkauften Büchern zählte, oder von Trojanows „Der Weltensammler" beweisen es. In der Kinder- und Jugendliteratur gehört Cornelia Funke („Tintenherz") zu den erfolgreichsten Autoren. Der Deutsche Buchpreis sorgt zudem für erhöhte Aufmerksamkeit im In- und Ausland.

Auffällig ist, dass die früheren Grenzen zwischen anspruchsvoller Literatur und unterhaltsamer Belletristik

**Internationale Frankfurter Buchmesse**
Die Internationale Frankfurter Buchmesse findet seit 1949 jedes Jahr im Herbst statt und ist das herausragende internationale Jahresereignis der Buchbranche. Höhepunkt jeder Buchmesse ist die Verleihung des Friedenspreises des Deutschen Buchhandels. Zu den Preisträgern gehörten unter anderem Václav Havel, Jorge Semprún und Susan Sontag. Seit 2005 wird zudem zum Auftakt der Buchmesse der Deutsche Buchpreis für den besten Roman in deutscher Sprache verliehen.

**Buchmarkt**
Die Buch- und Lesekultur hat in Deutschland nach wie vor einen hohen Stellenwert. Der deutsche Buchmarkt erwirtschaftete 2006 ein geschätztes Gesamtvolumen von rund 9,3 Milliarden Euro. Die gesamte Produktion von Gegenständen des Buchhandels der deutschen Buchverlage umfasst rund 970 Millionen Bücher und ähnliche Druckerzeugnisse. Es gibt mehr als 4000 Buchläden und 7500 Bibliotheken. Die großen Verlagsstädte sind München, Berlin, Frankfurt am Main, Stuttgart, Köln und Hamburg.

# An der Spitze – gestern und heute

Gefeierte Klassiker, mutige Visionäre: Die deutsche Kunst- und Kulturgeschichte ist reich an Frauen und Männern, die Außergewöhnliches geleistet haben. Viele sind weit über die Landesgrenzen hinaus ein Begriff

**Friedrich von Schiller**
Streiter für die Freiheit: Dem Theater galt die Leidenschaft Friedrich von Schillers (1759-1805). Der Dichter der „Räuber" und des „Wilhelm Tell" brachte als einer der Ersten Politik auf die Bühne

**Johann Wolfgang von Goethe**
Poet, Dramatiker, Gelehrter: Johann Wolfgang von Goethe (1749-1832) gilt als „Universalgenie" und Klassiker der deutschen Literatur schlechthin

**Johann Sebastian Bach**
Virtuose barocker Kirchenmusik: Johann Sebastian Bach (1685-1750) vervollkommnete die strenge „Kunst der Fuge", schuf mehr als 200 Kantaten und Oratorien

**Ludwig van Beethoven**
Wegbereiter der Romantik: Ludwig van Beethoven (1770-1827) brachte bei klarer Konzentration auf die Form in völlig neuem Maß individuellen Ausdruck und Empfindung in die Musik

**15.-20. Jh.**

Literatur · Musik · Bildende Kunst

**Joseph Beuys**
Erfinder des „erweiterten Kunstbegriffs": „Jeder Mensch ist ein Künstler" heißt sein berühmtester Satz. Aufsehen erregte Joseph Beuys (1921-1986) mit spektakulärer Aktions- und Environmentkunst

**Thomas Mann**
Meister des Romans und der Novelle: Thomas Mann (1875-1955) erhielt für sein Familienepos „Buddenbrooks" den Nobelpreis für Literatur

**Albrecht Dürer**
Künstler der deutschen Renaissance: Albrecht Dürer (1471-1528) revolutionierte die Techniken des Holzschnittes und des Kupferstichs

**Anne-Sophie Mutter**
Die Geigenvirtuosin:
Anne-Sophie Mutter,
Jahrgang 1963, ist ein
gefeierter Weltstar der
klassischen Musik. Sie
wurde früh von Karajan
gefördert und gilt
als Mozartexpertin

**Wim Wenders**
Der Meister der stillen Bilder: Der vielfach ausgezeichnete Regisseur, Jahrgang 1945, drehte unter anderem „Paris,
Texas" und „Der Himmel über Berlin"

**Pina Bausch**
Schöpferin des modernen
Tanztheaters: Pina Bausch, Jahr-
gang 1940, erfand eine neue
Körpersprache für den Tanz

**Karlheinz Stockhausen**
Komponist serieller und
elektronischer Musik:
Karlheinz Stockhausen
(1928-2007) zählt zu den
bedeutendsten Komponis-
ten der Gegenwart

Film
Ballett
Musik
Musik

**21. Jh.**

Literatur

Bildende Kunst
Fotografie

**Günter Grass**
Autor der „Blechtrommel": Literaturnobelpreisträger Günter Grass, Jahrgang 1927, verarbeitete wie kein
anderer Geschichte zu Literatur.
2006 wurde bekannt, dass er als 17-
Jähriger Mitglied der Waffen-SS war

**Bernd und Hilla Becher**
Fotografen als Konzeptkünst-
ler: Das Paar schuf mit
seiner Architekturfotografie
eine künstlerische Form der
Dokumentation und prägte
die junge Generation
der deutschen Fotokünstler

**Gerhard Richter**
Teuerster lebender Künstler: Gerhard Richter,
Jahrgang 1932, überrascht mit immer neuen
Techniken und Themen, seine Bandbreite
reicht von Fotorealismus bis Abstraktion

**Autoren**

Junge Autorinnen und Autoren mit Migrationsbiografie bringen neue Themen und Impulse in die Literatur und in die deutsche Sprache. Zu ihnen gehören Ilja Trojanow, Wladimir Kaminer, Saša Stanišic, Terézia Mora oder Feridun Zaimoglu.

durchlässiger werden. Das Schlagwort von der „Neuen Lesbarkeit" machte in den Feuilletons die Runde. Vorbei sind die Zeiten der engen Verbindung von Politik und Literatur. Träume von Revolte und Eigensinn sind zwar geblieben; was aber zählt, ist das Authentische in der Literatur. Die Funktionen haben sich verschoben, die Wahrnehmungen verändert, weil es nicht nur an **Autoren** einer gesellschaftlich ambitionierten Literatur fehlt, sondern auch an Lesern, die das lesen wollen.

## Theater

**Theaterlandschaft**

120 öffentliche Theater mit mehr als 750 Spielstätten sowie 185 Privattheater machen Deutschland zum bedeutenden Theaterland. Zu den bekanntesten Bühnen gehören das Thalia Theater in Hamburg, das Berliner Ensemble und die Münchner Kammerspiele.

Im Ausland steht das deutsche Theater häufig im Ruf, es sei laut und narzisstisch. Aber es ist ein Theater, hinter dem ein weltweit bestauntes System steht. Auch in kleineren Städten gibt es Opernhäuser und Ballette neben dem Schauspiel; insgesamt eine ausgeprägte **Theaterlandschaft**, ein dichtes Netz von Staats- und Stadttheatern, von Tourneetheatern und Privatbühnen. Im Nachklang der 68er-Studentenbewegung

## Auswärtige Kulturpolitik

Die Auswärtige Kultur- und Bildungspolitik ist neben der klassischen Diplomatie und der Außenwirtschaftspolitik die dritte Säule der deutschen Außenpolitik. Ihr Ziel ist es, deutsche kultur- und bildungspolitische Interessen zu fördern, ein zeitgemäßes Deutschlandbild zu vermitteln, am europäischen Integrationsprozess und an der Völkerverständigung mitzuarbeiten. Das Auswärtige Amt setzt seine Kulturpolitik nur zu einem kleinen Teil direkt selbst um. Es beauftragt vor allem Mittlerorganisationen wie z. B. das Goethe-Institut, den DAAD, die Alexander von Humboldt-Stiftung oder das Institut für Auslandsbeziehungen (ifa) damit. Das Goethe-Institut unterhält 147 Kulturinstitute in 83 Ländern. Sie bieten Deutschunterricht an, fördern ausländische Deutschlehrer, organisieren Lesungen, Theater- und Filmvorführungen sowie Diskussionsveranstaltungen. Das ifa widmet sich vor allem dem Kulturdialog. Von großer Bedeutung sind die deutschen Auslandsschulen. Es gibt 117 solcher Schulen mit 70 000 Schülern (davon 53 000 nichtdeutscher Nationalität). Mit der Initiative „Schulen: Partner der Zukunft" will das Auswärtige Amt die schulische Arbeit und Präsenz im Ausland – auch über den bestehenden Kreis der schulischen Partner hinaus – gezielt fördern. Ziel ist die Schaffung eines Netzes von Partnerschulen, in denen die Bindung der Schüler an Deutschland über die Vermittlung der deutschen Sprache und Kultur gestärkt werden soll.

**www.goethe.de, www.daad.de, www.avh.de, www.ifa.de, www.auslandsschulwesen.de**

**Theaterszene**
Das deutsche Theater gilt als eines der experimentierfreudigsten der Welt. Nicht zuletzt im Tanztheater haben deutsche Compagnien Maßstäbe gesetzt. Zu den großen Protagonistinnen des modernen Tanzes gehört Pina Bausch; sie gilt als die bedeutendste Choreografin der Gegenwart. Neben ihr zählt die in Karlsruhe geborene und an der Berliner Schaubühne inszenierende Tänzerin und Choreografin Sasha Waltz zu den internationalen Stars der Tanztheaterszene.

hat sich zudem eine breite **Theaterszene** herausgebildet: die Freien Gruppen – bis heute Zeichen dafür, dass es noch immer eine ungebrochene Leidenschaft zum Theater gibt, die sich darstellen will. In Deutschland wird viel für dieses System aufgewendet: an Anregung, Aufmerksamkeit und an Geld. Für viele ein Luxus, zumal die Theater nur zehn bis fünfzehn Prozent ihrer Ausgaben wieder einspielen. Auch Privattheater sind an das öffentliche Subventionssystem angeschlossen – wie etwa die berühmte Berliner Schaubühne, die von Regisseur Peter Stein gegründet und geprägt wurde. Dieses System hat den Höhepunkt seiner Entwicklung freilich längst erreicht. Es ist in einer schwierigen Phase, weil die Kunst immer wieder an den materiellen Voraussetzungen gemessen wird.

Peter Stein galt über lange Zeit als einzigartige Erscheinung im deutschen Theater. Im Gegensatz zu anderen Regisseuren hat er ein Werk geschaffen, das sich in der Kontinuität wiederholender Motive, Themen und Autoren zu erkennen gibt. Ein Theater der Erinnerung mit einem Inszenierungsstil, der sich dem Text verpflichtet fühlt. Zwischen der nachrückenden heutigen Generation von Theatermachern und einem Peter Stein, Peter Zadek oder einem Claus Peymann, dem Leiter des Berliner Ensembles, liegen Welten. Mit dem Vokabular dieser 68er-Rebellen ist das zeitgenössische Theater nicht mehr zu fassen. Begriffe wie aufklären, belehren, entlarven, eingreifen wirken antiquiert. Das

**Kreativwirtschaft**
Einfallsreichtum und Kreativität sind ein wichtiger Wirtschaftsfaktor für den Standort Deutschland. Kunst, Film, Musik, Mode, Medien und Lifestyle: Mit 800 000 Arbeitsplätzen und einer Bruttowertschöpfung von 35 Milliarden Euro liegt die dynamische Branche in Deutschland zwischen der chemischen Industrie und der Energiewirtschaft und erwirtschaftet einen wichtigen Anteil am Bruttoinlandsprodukt.

*Die Schaubühne in Berlin: Von ihr ging in den späten sechziger Jahren die radikale Erneuerung des deutschen Theaters aus, mit Regisseuren wie Peter Stein, Luc Bondy und Klaus-Michael Grüber*

*Das Berliner Ensemble am Schiffbauerdamm: Einst wirkte hier Bertolt Brecht, heute inszenieren dort internationale Star-Regisseure wie Robert Wilson*

**Berliner Theatertreffen**
Das Berliner Theatertreffen, eine Veranstaltung der Berliner Festspiele, ist das bedeutendste deutsche Theaterfestival. Seit 1964 zeigt es jedes Jahr im Mai die zehn „bemerkenswertesten Inszenierungen" der Saison, die zuvor von einer Kritikerjury aus rund 400 Aufführungen ausgewählt wurden. Zusätzlich bietet das Theatertreffen eine Plattform für Nachwuchsautoren, die ihre neuen Arbeiten auf einem „Stückemarkt" präsentieren können.

Theater der Jungen versteht sich nicht mehr als Avantgarde; es sucht selbstständige Formen des Ausdrucks. Nach der Jugendeuphorie der neunziger Jahre, die sich mit Namen wie Leander Haußmann, Stefan Bachmann und Thomas Ostermeier verbindet, hat nun eine Phase eingesetzt, in der diese Regisseure zu Theaterleitern geworden sind.

Frank Castorf, bekannt als Stücke-Zertrümmerer, der Texte zerspielen lässt und wieder neu zusammensetzt, ist mit seiner Berliner Volksbühne zum Vorbild für diese Generation von Theatermachern geworden. Auch Christoph Marthaler und Christoph Schlingensief stehen für einen veränderten Theaterbegriff, mit dem auf die Verschiebungen nach Ende des Kalten Krieges und mit dem Einzug des globalen Kapitalismus geantwortet wird. Regisseure wie Michael Thalheimer, Armin Petras, Martin Kusej, René Pollesch oder Christina Paulhofer haben Inszenierungsformen kreiert, die dem Stil Vorrang vor dem Stoff geben; tradierte textnahe Erzählweisen sind ihnen eher fremd. Was in etwa 250 Jahren das deutsche Theater bestimmt hat, die Konfrontation mit der Gesellschaft, ist einer bunten Vielfalt gewichen, wie auch das jährliche **Berliner Theatertreffen** zeigt. Theater hat jedoch nie unter Ausschluss der Zeit stattgefunden, in der es aufgeführt worden ist. Es muss Bilder schaffen von unserem Leben. Und es ist Erinnerungsarbeit. Dafür wird Theater subventioniert. Es ist seine öffentliche Funktion.

# Musik

Deutschlands Ruf als Musiknation stützt sich noch immer auf Namen wie Bach, Beethoven und Brahms, wie Händel und Richard Strauss. Studenten aus aller Welt strömen an die Musikhochschulen, Musikliebhaber besuchen die **Festivals** – von den Bayreuther Wagner-Festspielen bis zu den Donaueschinger Musiktagen für zeitgenössische Musik. 80 öffentlich finanzierte Musiktheater gibt es in Deutschland, führend sind die Häuser in Hamburg, Berlin, Dresden und München sowie in Frankfurt am Main und Leipzig. Im Rennen um den jährlich vergebenen Kritikerpreis „Opernhaus des Jahres" konnte sich Stuttgart jüngst am häufigsten durchsetzen. Die von dem britischen Stardirigenten Sir Simon Rattle geleiteten Berliner Philharmoniker gelten als bestes der rund 130 **Kulturorchester** in Deutschland. Das Frankfurter „Ensemble Modern" ist wesentlicher Motor der zeitgenössischen Musikproduktion. Es erarbeitet sich jährlich etwa 70 neue Werke, darunter 20 Uraufführungen. Neben Pultgrößen wie Kurt Masur oder Christoph Eschenbach haben sich bei den jüngeren Dirigenten Ingo Metzmacher und Christian Thielemann besonders hervorgetan. Bei den Interpreten gehören die Sopranistin Waltraud Meier, der Bariton Thomas Quasthoff und die Klarinettistin Sabine Meyer zur Weltspitze. Die Geigerin Anne-Sophie Mutter findet ein riesiges Publikum auch jenseits der Klassik-Klientel.

Elektronik-Pionier Karlheinz Stockhausen und sein traditionalistischer Antipode, der Opernkomponist Hans Werner Henze, haben die Entwicklung der zeitgenössischen Musik seit den fünfziger Jahren maßgeblich mitgestaltet. Heute stellt sie sich stilistisch weit aufgefächert dar: Heiner Goebbels verbindet Musik mit Theater, Helmut Lachenmann treibt die instrumentalen Ausdrucksmöglichkeiten ins Extrem. Wolfgang Rihms Beispiel zeigt, dass die Entwicklung der Musik hin zu größerer Fasslichkeit wieder möglich scheint. Auf der anderen Seite des musikalischen Spektrums sind Popsänger wie Herbert Grönemeyer seit Jahren mit deut-

**Festivals**
Neben den Festivals für klassische Musik präsentiert sich die zeitgenössische Musik in Deutschland auf mehr als 100 Spezialfestivals, in Konzertreihen und Studioproduktionen der Opernhäuser. Die Donaueschinger Musiktage gelten als weltweit wichtigstes Festival für aktuelles Musikschaffen. Neueste Entwicklungen im Musiktheater stellt die Biennale in München vor, das Internationale Musikinstitut Darmstadt steht mit seinen berühmten „Ferienkursen" für die Diskussion neuester musikalischer Entwicklungen.

**Kulturorchester**
An der Spitze der rund 130 deutschen Berufsorchester stehen die Klangkörper der Berliner Philharmoniker unter Sir Simon Rattle, die Staatskapelle Berlin unter Daniel Barenboim, das Gewandhausorchester unter Riccardo Chailly, die Bamberger Symphoniker unter Leitung von Jonathan Nott und die Münchner Philharmoniker unter Christian Thielemann.

*Christian Thielemann: Generalmusikdirektor der Münchner Philharmoniker*

Deutsche Bands
Zu den erfolgreichen „Auslands-
exporten" deutscher Rock- und
Popmusik gehören: Scooter,
Seeed, Nena, Kraftwerk, Ramm-
stein, Tokio Hotel, Juli und Mia.

**Deutsches Kino**
Die nationalen Produktionen
haben in jüngster Zeit an
der deutschen Kinokasse deutlich zugelegt. Es gibt wieder
Stars, für die das Publikum ins
Kino geht: Alexandra Maria Lara,
Martina Gedeck, Julia Jentsch,
Daniel Brühl und Moritz Bleibtreu. Das gestiegene Selbstbe-
wusstsein der Branche spiegelt
sich in der 2003 gegründeten
Deutschen Filmakademie wider,
die jährlich den deutschen Filmpreis verleiht – die Lola. Auch
international verbucht der junge
deutsche Film Erfolge: Der
zweite Oscar für eine deutsche
Produktion innerhalb von fünf
Jahren ging 2007 an Florian
Henckel von Donnersmarck für
„Das Leben der Anderen". Fatih
Akin gewann 2007 mit „Auf der
anderen Seite" bei den Internationalen Filmfestspielen von
Cannes den Preis für das beste
Drehbuch und den Filmpreis LUX
des Europäischen Parlaments.

*Die Berliner Band „Wir
sind Helden" mit Frontfrau
Judith Holofernes*

schen Liedern erfolgreich, die Punkrock-Band „Die Toten
Hosen", die Hip-Hop-Gruppe „Die Fantastischen Vier" und
Tokio Hotel ebenfalls. In den vergangenen Jahren orientierten
sich junge Künstler wie der Sänger Xavier Naidoo („Söhne
Mannheims") zudem erfolgreich an den US-amerikanischen
Stilrichtungen Soul und Rap. Der Erfolg der Berliner Band
„Wir sind Helden" zog zuletzt eine neue Welle junger **deut-
scher Bands** nach sich. Mit Gründung der „Popakademie" in
Mannheim wurde auch der politische Wille deutlich, deut-
sche Popmusik international konkurrenzfähig zu machen.

## Film

Kurz vor der Jahrtausendwende reißt ein Feuerwerk das deutsche Kino aus einem Winterschlaf: „Lola rennt" (1998) von
Tom Tykwer. Die experimentierfreudige Komödie um die
rothaarige Lola, das Schicksal, die Liebe und den Zufall fängt
das Lebensgefühl der späten neunziger Jahre ein. Lolas wag-
halsiger Wettlauf gegen die Zeit, quer durch Berlin, wird
weltweit als Metapher auf die Rastlosigkeit einer Epoche ver-
standen. Regisseur Tom Tykwer und seiner Hauptdarstellerin
Franka Potente gelingt mit „Lola rennt" der internationale
Durchbruch. Im **deutschen Kino** beginnt eine Phase des
Aufschwungs. Erstmals seit der Ära des großen Rainer Werner Fassbinder (†1982) blickt das Ausland wieder interessiert
auf den deutschen Film, der international Erfolge feiert. 2002
erhält Caroline Link für „Nirgendwo in Afrika" einen Oscar,
2007 gewinnt Florian Henckel von Donnersmarck für seinen
ersten Film „Das Leben der Anderen" die begehrte Trophäe,
im gleichen Jahr geht bei den Filmfestspielen von Cannes der
Preis für das beste Drehbuch sowie ein Sonderpreis an Fatih
Akin für „Auf der anderen Seite". Gleich sechsfach mit einem
Deutschen Filmpreis in verschiedenen Kategorien ausgezeichnet wurde 2007 Tom Tykwers Verfilmung von Patrick
Süskinds Bestsellerroman „Das Parfum".

Waren es am Anfang des neuen Jahrtausends
noch die Komödien, die überraschend den deutschen
Filmen die Erfolge bescherten – wie Hans Weingartens

Komödie „Die fetten Jahre sind vorbei" (2004) –, ist es am Ende des ersten Jahrzehnts das ernste Genre, das im Zentrum steht. Die Themen aber sind geblieben: Die Tragikomödie „Good Bye, Lenin!" (Wolfgang Becker, 2003) lief in fast 70 Ländern mit Erfolg, weil sie auch das Scheitern des Sozialismus zeigt, und Donnersmarcks „Das Leben der Anderen" (2007) erzählt die Geschichte vom Leben und Leiden im Stasispitzelstaat DDR. Die deutschen Filme haben Erfolg, weil ihre nationalen Geschichten von universellen Themen handeln. Doch den Stoff für ihre Geschichten filtern die Filmemacher aus Entwicklungen und Umbrüchen im eigenen Land.

Mit atemberaubender Wucht erzählt Fatih Akin, Hamburger mit türkischen Wurzeln, vom Leben in Deutschland. In seinem preisgekrönten Drama „Gegen die Wand" (2004), das unter anderem den Goldenen Bären der Berlinale gewann, bringt er die Liebesgeschichte zweier Deutschtürken und ihre Zerriebenheit zwischen den Kulturen mit

*Regisseur Florian Henckel von Donnersmarck mit dem Oscar für den Film „Das Leben der Anderen"*

## Berlinale

Seit 1951 finden jährlich im Februar die Internationalen Filmfestspiele Berlin statt. Nach dem Treffen von Cannes ist die Berlinale das zweitgrößte Filmfestival in der Welt und „das" Schaufenster des deutschen Films. Im Zentrum Berlins rund um den Potsdamer Platz liegen dann zwei Wochen lang Kunst, Glamour, Party und Geschäft eng beieinander. Etwa 430 000 Kinobesucher und 19 000 Fachbesucher kommen jedes Jahr – Filmstars, Filmproduzenten, Filmverleiher, Käufer, Finanziers und Journalisten. Der Höhepunkt einer jeden Berlinale ist die Verleihung der „Bären", der Hauptpreise des Festivals, durch eine internationale Jury. Um diese Preise bewerben sich Filme aus der ganzen Welt, die auf der Berlinale Welt- oder Europapremieren haben.

Neben dem Wettbewerb präsentiert die Berlinale unter anderem ein Kinderfilmfest, ein Forum für den deutschen Film und ein internationales Forum des Jungen Films. Außerdem gibt es eine Retrospektive sowie eine Hommage, die sich dem Lebenswerk einer großen Filmpersönlichkeit widmet. Insgesamt werden jährlich etwa 400 Filme gezeigt. Mit sieben Millionen Euro übernimmt der Bund etwa 40 Prozent des Gesamtetats der Veranstaltung; der rest kommt über Eintrittsgelder und Sponsoren zusammen. Seit 2003 werden jedes Jahr etwa 350 junge Filmtalente aus aller Welt zum Berlinale Talent Campus eingeladen. Hier geht es um die Vermittlung von Know-how und den Ideenaustausch. Intendant der Berlinale ist Dieter Kosslick (Foto). **www.berlinale.de**

**Deutscher Filmpreis**
Herzstück der kulturellen Filmförderung des Bundes ist der
Deutsche Filmpreis, der schon
seit 1951 für Spitzenleistungen
der nationalen Filmproduktion
verliehen wird. Gleich sechsfach
ausgezeichnet wurde im Jahr
2007 in den verschiedenen
Kategorien Tom Tykwers Verfilmung von Patrick Süskinds
Bestsellerroman „Das Parfum".

brutaler Präzision, aber ohne Larmoyanz auf die Leinwand. 2007 erzählt Akin in seinem Drama „Auf der anderen Seite" die Geschichte von sechs Menschen in Deutschland und der Türkei, deren Leben sich schicksalhaft verbindet.

Die „Lola" in Gold 2007 erhielt das Gefängnisdrama von Chris Kraus „Vier Minuten". Für ihr Spiel in dieser dramatischen Komposition um zwei Frauen und ein Piano erhielt Monica Bleibtreu den **Deutschen Filmpreis** für die beste weibliche Hauptrolle. Der Aufschwung des deutschen Films steht auf vielen Füßen. Beste Voraussetzungen also für das deutsche Kino.

## Bildende Kunst

Malerei und Fotografie aus Deutschland haben seit den neunziger Jahren international großen Erfolg. Im Ausland ist das neue deutsche Malwunder unter dem Label „Young German Artists" bekannt. Die Künstler kommen aus Leipzig, Berlin oder Dresden. Neo Rauch ist der prominenteste Vertreter der „Neuen Leipziger Schule". Ihr Stil ist gekennzeichnet von einem neuen Realismus, der sich – ideologiefern – aus der alten „Leipziger Schule" der DDR-Kunst entwickelt hat. Die Gemälde zeigen meist blässliche Menschen, die auf etwas Unbestimmtes zu warten scheinen, was sich als Widerspiegelung deutscher Zustände am Beginn des neuen Jahrtausends interpretieren lässt. Der sogenannte „Dresden Pop", darunter Thomas Scheibitz, greift Werbung, Fernseh- und Videoästhetik auf und spielt mit einer Ästhetik der Selbstvergewisserung über das Hier und Jetzt.

**Kunstszene**
Zu den international bedeuten-
den Künstlern der älteren Gene-
ration gehören unter anderem
die Maler Gerhard Richter, Georg
Baselitz, A. R. Penck, Jörg
Immendorff, Anselm Kiefer, Mar-
kus Lüpertz und Sigmar Polke.
Daneben zählen zu den Bildhauer
Ulrich Rückriem und Jochen
Gerz sowie die Performance-
Künstlerin Rebecca Horn zu den
wichtigen Vertretern der zeitge-
nössischen Kunstszene.

*Neo Rauch gilt als Nummer eins der „Young German Artists"*

Für die meisten jungen Künstler gehört die Auseinandersetzung mit dem Nationalsozialismus, wie sie sich in den Werken eines Hans Haacke, Anselm Kiefer und Joseph Beuys findet, der Vergangenheit an. Vielmehr zeichnet sich in der **Kunstszene** eine „neue Innerlichkeit" ab und die Beschäftigung mit kollidierenden Erfahrungswelten: In Jonathan Meeses und André Butzers Werken spiegeln sich Depressionen und Zwangsphänomene; sie gelten als Vertreter des „Neurotischen Realismus". Franz Ackermann thematisiert mit den „Mental Maps" die Welt als globales Dorf und verweist auf die Katastrophen hinter den Fassaden. Tino Seghal, dessen Kunst nur im Augenblick der Performance existiert und nicht aufgezeichnet werden darf, sucht nach Produktions- und Kommunikationsformen jenseits der Marktwirtschaft. Das Interesse, das man in Deutschland der Kunst entgegenbringt, lässt sich an der alle fünf Jahre in Kassel stattfindenden **documenta**, der führenden Ausstellung für aktuelle Kunst weltweit, ablesen.

Im Gegensatz zur Bildenden Kunst – deren Bedeutung der Boom an privaten Museumsneugründungen unterstreicht – hatte die Fotografie in Deutschland lange um ihre Anerkennung als eigenständige Kunstform zu kämpfen. Als Pionierin der siebziger Jahre gilt Katharina Sieverding, die in ihren Selbstporträts die Grenze zwischen Individuum und Gesellschaft auslotet.

Der Durchbruch kam in den neunziger Jahren mit dem Erfolg dreier Schüler des Fotografenehepaars Bernd und Hilla Becher von der Düsseldorfer Kunstakademie: Thomas Struth, Andreas Gursky und Thomas Ruff inszenieren in ihren Bildern eine Hochglanzrealität mit doppeltem Boden und besitzen so große stilbildende Wirkung, dass sie international knapp als „Struffsky" bezeichnet werden.

**documenta**
Die documenta in Kassel ist die weltweit bedeutendste Ausstellung zeitgenössischer Kunst. Auf Initiative des Malers Arnold Bode gegründet, öffnete sie 1955 zum ersten Mal ihre Tore. Die alle fünf Jahre für die Dauer von 100 Tagen veranstaltete Ausstellung wurde rasch zu einem Welterfolg. Die documenta 13 wird 2012 stattfinden.

**Autoren**
Die Redakteurinnen und Redakteure der Kulturzeit-Redaktion von 3sat (von links): Dr. Eva Hassel-von Pock, Armin Conrad, Dr. Gudula Moritz, Dr. Rainer M. Schaper, Dr. Monika Sandhack sowie Stefan Müller (nicht im Bild).

 ## Kunstmessen und Kulturevents

**Art Cologne**
Die Art Cologne ist die älteste Kunstmesse der Welt und die wichtigste in Deutschland

**Frankfurter Buchmesse**
Die Frankfurter Buchmesse ist international die Nummer eins unter den Buchmessen

**Berlinale**
Die Berlinale ist nach dem Festival in Cannes das zweitwichtigste Filmevent weltweit

**Leipziger Buchmesse**
Die Leipziger Buchmesse hat sich trotz starker Konkurrenz einen guten Namen gemacht

**Bayreuther Festspiele**
Die Bayreuther Festspiele auf dem „Grünen Hügel" sind für „Wagnerianer" das Ereignis

*In Deutschland gibt es rund 60000 hauptberuflich tätige Journalisten; allein in Berlin sind fast 1300 Korrespondenten beim Verein der Auslandspresse und der Bundespressekonferenz akkreditiert*

**Presse- und Meinungsfreiheit**
Zur Kommunikationsfreiheit in Deutschland gehört auch, dass Behörden zur Auskunft gegenüber Journalisten verpflichtet sind. Das Presserecht wird durch Pressegesetze der Bundesländer geregelt. Hierzu zählen die Impressumspflicht, die journalistische Sorgfaltspflicht und das Zeugnisverweigerungsrecht der Journalisten. Als Selbstkontrollorgan der Verleger und Journalisten versteht sich der Deutsche Presserat, der sich mit Verstößen gegen die Sorgfaltspflicht und die Ethik befasst.

# Medien

*Von Jo Groebel*

DEUTSCHLAND GILT ALS LAND DER BÜCHER, der Gedankentiefe, der inhaltlich anspruchsvollen Medien. Deutschland ist aber auch das Land der „DJs und Daily Soaps" geworden. Musik und Fernsehserien, Kassenknüller im Kino und Boulevardpresse sind in der deutschen Populärkultur ebenso wichtig wie in anderen Ländern – und wie die deutsche Hochkultur der Dichter, des Theaters und der Oper.

Natürlich gibt es in Deutschland mediale Besonderheiten. Dazu gehört die Betonung der föderalen Souveränität in Kultur und Rundfunk oder das jedenfalls im globalen Vergleich nicht selbstverständliche Nebeneinander von öffentlich-rechtlichen und privaten Medien. In puncto Presse- und Meinungsfreiheit schneidet Deutschland im internationalen Maßstab sehr gut ab. Der Pluralismus der Meinungen ist gegeben, der Pluralismus der Information ist vorhanden. Die Presse ist nicht in der Hand von Regierungen oder Parteien, sondern vielmehr in der Hand von gesellschaftlichen Akteuren. Seit mehr als einem halben Jahrhundert ist die **Presse- und Meinungsfreiheit** in Deutschland ein verfassungsrechtlich geschütztes Gut. Das Verfassungsverständnis der Pressefreiheit findet im Artikel 5 des Grundgesetzes seinen Ausdruck: „Jeder hat das Recht, seine Meinung in Wort, Schrift und Bild zu äußern und zu verbreiten und sich aus allgemein zugänglichen Quellen ungehindert zu unterrichten. (...) Eine Zensur findet nicht statt."

Allgemein lässt sich die deutsche Medienstruktur aus den spezifischen Bedingungen der jüngeren deutschen Geschichte erklären. Zum einen waren die vergangenen Jahrhunderte für das Land außerordentlich unruhig. Viele Denkimpulse für gesellschaftliche Veränderungen hatten auch einen deutschen Hintergrund oder fanden hier statt: Aufklärung, Kommunismus, Moderne. Die Umwälzungen des 20. Jahrhunderts erlebte Deutschland in einem Zeittakt von jeweils weniger als 30 Jahren – Demokratisierung, Erster Weltkrieg, Weimarer Republik, „Drittes Reich" und Zweiter Weltkrieg, Ost-West-Konflikt und Kalter Krieg, Studentenre-

*Beliebte Printprodukte: In der Zeitungsdichte (Zahl der Zeitungen je 1000 Einwohner) liegt Deutschland mit 298 Exemplaren in Europa im guten Mittelfeld. Durchschnittlich 28 Minuten lesen die Deutschen täglich Zeitung*

**Mediennutzung**

Rund zehn Stunden am Tag nutzen die Deutschen die verschiedenen Medien. Ganz vorne liegen dabei Hörfunk und Fernsehen

| | |
|---|---|
| Radio | **221 Min.** |
| Fernsehen | **220 Min.** |
| Internet | **44 Min.** |
| Tageszeitungen | **28 Min.** |
| Bücher | **25 Min.** |
| Zeitschriften | **12 Min.** |

volte und Wiedervereinigung – und sie waren immer auch mit einem Medienaspekt verknüpft, ja wären ohne die seit dem 19. Jahrhundert entstandenen Massenmedien nicht denkbar gewesen. Gedankenfreiheit und Gleichberechtigung verbreiteten sich über Bücher und aktuelle Presse.

## Die Presselandschaft

Neben dem Buch existiert mit Zeitung und Zeitschrift seit nunmehr 500 Jahren ein Medium, das in Inhalt, Form und Verbreitung zwar ständig modernisiert wurde, von der Grundstruktur her aber trotz immer neuer Medien relativ gleich geblieben ist. Nach wie vor steht die Presse für Tiefenanalyse und Hintergrundbericht, Themensetzung und Bewertung. Mit der teilweisen Aufhebung festgefügter ideologischer Überzeugungen in der deutschen Gesellschaft entlang des traditionellen Links-rechts-Spektrums schwand auch zum Teil die eindeutige politische Zuordnung der Presse. Der deutsche Zeitungsmarkt zeichnet sich durch große Titelvielfalt und regionale Differenzierung aus. 333 lokale Tageszeitungen stehen neben der überregionalen Presse mit zehn Titeln, zehn Qualitätszeitungen neben den neun so genannten Verkaufszeitungen, die sich eher dem Boulevard verschrieben haben. Innerhalb dieser Kategorie nimmt die einflussreiche „Bild"-Zeitung (Axel-Springer-Verlag) mit einer Auflage von rund 3,6 Millionen Exemplaren als einzige

*Die größte deutsche Nachrichtenagentur ist die Deutsche Presse-Agentur (dpa). Hinter Reuters, der französischen AFP und der Associated Press (AP) ist sie die Nummer vier weltweit*

### Medienkonzentration

Trotz der großen Vielfalt an Titeln und Produkten ist die Zahl der eigenständigen Verlage seit Mitte der fünfziger Jahre in Deutschland stetig zurückgegangen. Wirtschaftlich und technisch führende Verlage konnten in verschiedenen regionalen Märkten Konkurrenten verdrängen. Die wirtschaftliche Enwicklung auf dem Pressemarkt hat zur Bildung großer Verlagsunternehmen geführt. Im Bereich der Tagespresse ist es vor allem der Axel-Springer-Verlag, der einen Anteil von rund 40 Prozent am Anzeigenmarkt für Zeitungen hat.

überregionale Verkaufszeitung eine herausragende Rolle ein. Insgesamt liegt die Gesamtauflage aller rund 350 deutschen Tageszeitungen bei 24 Millionen.

Aber die Finanzierung der klassischen Tagespresse steht unter Druck: Die jüngere Generation liest weniger Zeitungen, das Anzeigenaufkommen ist rückläufig, etliche Inhalte werden heute eher aus dem Internet bezogen, das inzwischen bei fast allen Altersgruppen zu einem Leitmedium geworden ist. Fast zwei Drittel aller Deutschen sind mittlerweile „online" – das entspricht 48,7 Millionen Menschen über 10 Jahre. Trotzdem kommt auf mehr als jeden dritten erwachsenen Deutschen eine verkaufte Zeitung, die Leserschaft liegt noch höher. Etliche Titel gelten als politisch und kulturell sehr einflussreich, so die überregionalen Qualitätszeitungen „Frankfurter Allgemeine Zeitung", die „Süddeutsche Zeitung" und als traditionsreiche Wochenzeitung „Die Zeit".

Neben die etablierten Publikumszeitschriften sind immer mehr „Special interest"-Titel getreten. Die rund 2300 Titel aus dem Gesamtbereich der Publikumszeitschriften erreichen zusammen eine Auflage von mehr als 120 Millionen. Zu den meistgelesenen Titeln gehören „Stern", „Focus" und „Spiegel", Magazine, die aktiver Teil der gesellschaft-

## Wie die Deutschen die Medien nutzen

#### Die großen überregionalen Abonnementzeitungen

Die „Süddeutsche" und die „F.A.Z." sind die meistgelesenen deutschen Tageszeitungen (nach verkaufter Auflage)

| | |
|---|---|
| Süddeutsche Zeitung | 431 421 |
| Frankfurter Allgemeine Zeitung | 360 915 |
| Die Welt (und Welt Kompakt) | 275 399 |
| Frankfurter Rundschau | 152 166 |
| Handelsblatt | 143 415 |
| Financial Times Deutschland | 103 489 |

III/2007

#### Die beliebtesten Publikumszeitschriften

In Deutschland werden rund 2300 Publikums- und 3600 Fachzeitschriften verlegt

| | |
|---|---|
| Spiegel | 1 078 981 |
| Stern | 1 007 724 |
| Reader's Digest | 800 851 |
| Bunte | 756 472 |
| Focus | 728 104 |
| Super Illu | 481 455 |

III/2007

IVW, VDZ, AGF/GfK Fernsehforschung, Denic

lichen Diskussion sind oder selbst schon zum Thema wichti- ger Debatten wurden. Der „Spiegel" ist dabei als politisches Magazin mit der vielleicht langfristig größten Wirkung einer Wochenpublikation herausragend. Die größten Verla- ge für Publikumszeitschriften sind der Heinrich-Bauer-Ver- lag, der Axel-Springer-Verlag, Burda und Gruner+Jahr aus dem Hause Bertelsmann. Springer und Bertelsmann sind zugleich die Medienunternehmen, die mit zusätzlichem Besitz erfolgreicher Radio- und TV-Sender sowie Online-Akti- vitäten Milliardenumsätze realisieren und eine Diskussion über **Medienkonzentration** und medienübergreifende Mei- nungskonzentration ausgelöst haben.

*Der Marktführer Deutsche Tele- kom zählt 16,6 Millionen Inter- netkunden. In Deutschland hatten Ende 2007 mehr als die Hälfte aller Haushalte einen Hochleistungsanschluss über eine Breitbandverbindung*

## Internet und nutzergenerierte Inhalte

Die Medienlandschaft steht in Deutschland wie in den meis- ten Ländern der Welt durch Internet und Mobilkommuni- kation vor einigen grundlegenden Herausforderungen. Zum einen ist technisch die so genannte Konvergenz Rea- lität geworden. Das heißt, in einem Gerät oder auf einer Plattform vereinigen sich Telefonie, Internetnutzung, Video, Musik und Fernsehen. Zum anderen verschwimmen dadurch aber auch die Grenzen zwischen Maß- und Mas-

**Beliebte Internetseiten**
Zu den am häufigsten aufgerufe- nen Internetseiten redaktioneller Anbieter in Deutschland gehören Spiegel Online, bild.de, und Kicker Online (gemessen an IVW-geprüf- ten Visits). Insgesamt die meisten Besucher verzeichneten Ende 2007 die Seiten T-Online Content, MSN und Yahoo, gefolgt von der Studentenplattform StudiVZ.

**Die attraktivsten Fernsehsender**
Die öffentlich-rechtlichen Sender ARD und ZDF stehen in Kon- kurrenz zu den privaten Sendern (Angaben in Marktanteilen)

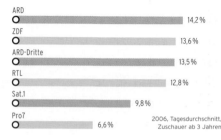

| | |
|---|---|
| ARD | 14,2 % |
| ZDF | 13,6 % |
| ARD-Dritte | 13,5 % |
| RTL | 12,8 % |
| Sat.1 | 9,8 % |
| Pro7 | 6,6 % |

2006, Tagesdurchschnitt, Zuschauer ab 3 Jahren

**Domain-Registrierungen im Internet**
„de" ist nach „com" die beliebteste Top Level Domain. „net" kommt auf 10,4, „org" auf 6,1 und „info" auf 5,0 Millionen Registrierungen

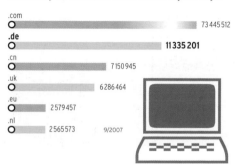

| | |
|---|---|
| .com | 73 445 512 |
| **.de** | **11 335 201** |
| .cn | 7 150 945 |
| .uk | 6 286 464 |
| .eu | 2 579 457 |
| .nl | 2 565 573 |

9/2007

## Öffentlich-rechtliche und private Sender

Für den Rundfunk (TV und Radio) gibt es in Deutschland zwei grundlegend verschiedene Organisations- und Finanzierungsformen. Die privaten Sender leben fast ausschließlich von Werbeeinnahmen – die öffentlich-rechtlichen Sender werden über Gebühren und Werbung finanziert und sind an einen rechtlich vorgegebenen Programmauftrag gebunden. Es gibt neun öffentlich-rechtliche Sender, die nach Bundesländern gegliedert sind und in der Arbeitsgemeinschaft der Rundfunkanstalten in Deutschland (ARD) zusammengeschlossen sind. Sie sind gemeinsam für das Erste Deutsche Fernsehen (Das Erste) zuständig, strahlen aber auch eigene TV- und Hörfunkprogramme aus. Ein weiterer öffentlich-rechtlicher Sender ist das ZDF, das keine Regionalprogramme und keinen Hörfunk betreibt.

senkommunikation, das heißt zwischen auf Einzelne zugeschnittener und an alle gerichteter Kommunikation.

Noch immer bestimmen herkömmliche professionelle Presse- und Rundfunkprodukte das Gros attraktiver Medieninhalte. Zunehmend aber nutzt vor allem die jüngere Generation die Community-Kommunikation, zum Beispiel Blogs, als alternative Informationsquelle. Zu den Ende 2007 am häufigsten verlinkten Blogs in Deutschland gehörten nach Angaben der „Deutschen Blogcharts" Basicthinking.de, bildblog.de (eine kritische Auseinandersetzung mit der „Bild"-Zeitung) und spreeblick.com. Einige Blogs werden sogar vom Deutschen Literaturarchiv in Marbach dokumentiert. Inzwischen gibt die Mehrheit der aktiven Blog-Nutzer an, Blog-Quellen seien für sie noch glaubwürdiger als landläufiger Journalismus. Als Konsequenz entstehen in vielen deutschen Medienhäusern Angebote, die die handwerklich gut fundierte und auf Vertrauen basierende herkömmliche Redakteursarbeit mit dem nutzergenerierten Inhalt zu einem neuen Ganzen verknüpfen. So bleibt im besten Fall der professionelle Standard der deutschen Medien erhalten und wird zugleich verbunden mit den „demokratischen" und spontanen Elementen einer Medienproduktion, die vom Publikum selbst kommt. Unter dem Stichwort „Digitales Deutschland" verändert sich so nicht nur die Kommunikationslandschaft, sondern werden auch politische Teilhabe, Kultur und die von der Digitalisierung betroffene Wirtschaft des Landes noch enger mit den aktuellen internationalen Entwicklungen verknüpft.

## Das Thema im Internet

**www.dw-world.de**
Online-Angebot des deutschen Auslandssenders mit aktuellen Nachrichten in 30 Sprachen

**www.kulturportal.de**
Datenbank des Kulturbeauftragten der Bundesregierung mit Infos über Veranstaltungen, Institutionen und Personen aus Kunst und Kultur (Deutsch)

**www.litrix.de**
Informationsportal zur weltweiten Vermittlung deutscher Gegenwartsliteratur (Deutsch, Englisch, Chinesisch, Arabisch, Portugiesisch)

**www.filmportal.de**
Zentrale Internetplattform für Informationen zu deutschen Filmen und Filmschaffenden (Deutsch, Englisch)

**www.kulturstiftung-des-bundes.de**
Website der Kulturstiftung des Bundes mit detaillierten Informationen zur Projektförderung (Deutsch, Englisch)

**www.museen.de**
Profile und Adressen von vielen Museen im deutschsprachigen Raum sowie aktuelle Ausstellungstermine; detaillierte Suchfunktion (Deutsch)

## Die Rundfunklandschaft

Die Reichhaltigkeit der deutschen Medienlandschaft setzt sich mit Radio und Fernsehen fort. Angefangen in den zwanziger (Radio) und fünfziger Jahren (Fernsehen) als öffentlich-rechtliches Programm entfaltete sich seit Ende der achtziger Jahre ein buntes Spektrum des dualen Systems aus **öffentlich-rechtlichen** und **privaten Sendern**. Heute konkurrieren rund 460 Radiosender miteinander, die meist lokalen und regionalen Charakter haben. Rund 75 öffentlich-rechtliche Radiosender stehen neben den rund 385 kommerziell ausgerichteten. Insgesamt hat das Radio in seiner Geschichte eine Funktionsveränderung erfahren. Nach Einführung des Fernsehens entwickelte es sich eher als Parallelmedium und erreicht in der Nutzungsdauer bis heute etwa gleich starke Werte wie das Fernsehen.

Die Fernsehlandschaft differenziert sich dual, überregional-regional und nach Voll- und Spartenprogrammen. Deutschland hat dabei im europäischen wie im Weltmaßstab einige der größten öffentlich-rechtlichen (ARD und ZDF) und privaten (RTL, Sat1, ProSieben) Rundfunkanbieter. Je nach technischer Plattform (terrestrisch, Satellit, Kabel, Breitband, mobil) und je nach analogem oder digitalem Empfang können mehr als zwanzig verschiedene öffentlich-rechtliche Fernsehprogramme empfangen werden, darunter die beiden nationalen Hauptkanäle ARD und ZDF sowie regional produzierte, aber bundesweit ausgestrahlte Angebote wie WDR, MDR, BR sowie Spezialsender wie der Dokumentationskanal Phoenix oder der Kinderkanal KIKA. Zusätzlich gibt es drei internationale Angebote wie den Auslandsrundfunk Deutsche Welle, den deutsch-französischen Kanal arte und den deutsch-österreichisch-schweizerischen Kulturkanal 3sat. Die Digitalstrategie von ARD und ZDF zielt zudem auf zeitunabhängiges Fernsehen (Mediathek) und neue Online- und Mobilangebote. Dabei droht immer der Konflikt mit den Privaten, die eine Wettbewerbsverzerrung durch zu starke Marktbeeinflussung der „Subventionierten" fürchten. •

*Für Sendungen im Ausland ist die „Deutsche Welle" (DW) zuständig, die ebenfalls der ARD angehört. Aufgabe der „Deutschen Welle" ist es, im Ausland ein umfassendes Bild des politischen, kulturellen und wirtschaftlichen Lebens zu vermitteln und die deutschen Auffassungen zu wichtigen Fragen darzulegen und zu erläutern*

**Jo Groebel**
Der Medienexperte ist Direktor des Deutschen Digital Instituts in Berlin. An der Universität Amsterdam lehrt Prof. Dr. Jo Groebel Kommunikationswissenschaften.

# 11

# Modernes Leben

Was macht den Alltag lebenswert? Gute Küche und feine Weine, Erholung in der Natur, Feste und Feiern, Urlaub, Design und Mode, inspirierende Architektur. Davon hat Deutschland viel zu bieten – und das fern von allen Klischees, die sich über Lederhosen und Kalbshaxen noch immer halten mögen. Das wissen auch die vielen Urlauber aus dem Ausland, die Deutschland zunehmend als interessantes Ferienziel kennenlernen. Nicht nur, weil es hier viele kulturhistorische Sehenswürdigkeiten zu entdecken gibt, sondern auch wegen der vielfältigen Regionalküche und den abwechslungsreichen Landschaften. Und auch die Deutschen, nach wie vor Reiseweltmeister, machen am liebsten Ferien zwischen Nordsee und Alpen.

# Vom Genießen und Feiern, vom Reisen und Wohnen – Alltagskultur und Lebensart

*Von Constanze Kleis*

„WELTOFFEN UND GASTFREUNDLICH" – DIESES PRÄDIKAT erhielt Deutschland von den Gästen der Fußball-Weltmeisterschaft 2006. Laut einer Umfrage von TNS Infratest, die im Auftrag der Deutschen Zentrale für Tourismus realisiert wurde, erhielten Deutschland und die Deutschen durchweg positive Beurteilungen von den Reisenden. Gründe für ein positives Bild gibt es genug. Etwa die Modernität des Landes, seine Aufgeschlossenheit, die Lebensqualität, die multinationale Vielfalt und die Kreativität, mit der Deutschland seine kulturelle Identität gleichzeitig erneuert und bewahrt. In fast allen Lebensbereichen zeigt sich heute eine erfreulich entspannte Leichtigkeit und weltoffene Neugier.

Zum Beispiel in der Ernährung. Natürlich gibt es sie noch, die deftigen Regionalküchen, diese herzhaften Erkennungsmerkmale der jeweiligen Landschaften: den Schweinsbraten mit Knödeln aus Bayern oder das Rippchen mit Sauerkraut aus Hessen. Gleichzeitig haben aber viele neue Einflüsse Einzug in die **deutsche Küche** gehalten. Sie ist vielfältiger und gesundheitsbewusster geworden, leicht und einfallsreich. Als „Koch des Jahres 2008" kürte der Gault Millau Klaus Erfort, der im „Gästehaus Erfort" in Saarbrücken am Herd steht. Er brillierte zum Beispiel mit Gänsestopfleber in hauchdünnem, gepfeffertem Ananasmantel. Auch das ist heute typisch deutsche Küche – denn die ähnelt mehr und mehr einem „World-Taste-Center". Die Deutschen gehören zu den internationalsten Essern in Europa: Laut einer Umfrage des Instituts Allensbach bevorzugen mehr als die Hälfte

**Deutsche Küche**
Es gibt keine einheitliche „deutsche Küche", aber viele regionale Spezialitäten von Kieler Sprotten bis zur Weißwurst mit süßem Senf aus München. Die regionale Küche spielt auch bei Deutschlands Gourmetköchen eine große Rolle. Mehr als 200 deutsche Restaurants hat der Gastroführer Guide Michelin 2008 mit seinen begehrten Sternen ausgezeichnet. Nach Frankreich kann Deutschland die meisten Drei-Sterne-Restaurants verzeichnen. Die höchste Dichte an Michelin-Sternen herrscht in der Schwarzwaldgemeinde Baiersbronn. Zu den deutschen Top-Köchen gehören Heinz Winkler (Aschau), Harald Wohlfahrt (Baiersbronn) und Dieter Müller (Bergisch Gladbach).

**Öko-Lebensmittel**
Ökologische Landwirtschaft findet unter deutschen Landwirten immer mehr Anhänger. Von 1996 bis 2007 stieg die Zahl der landwirtschaftlichen Betriebe, die nach Öko-Kriterien arbeiten, von 7353 auf 17557. In deutschen Supermärkten und Reformhäusern tragen mehr als 40000 Produkte das staatliche Bio-Siegel für Waren aus ökologischem Landbau. Die Kriterien für die Bio-Klassifizierung sind streng: Die Lebensmittel dürfen nicht mit chemischen Pflanzenschutzmitteln behandelt oder gentechnisch verändert sein und dürfen nur aus artgerechter Tierhaltung stammen.

der Deutschen beim Essen im Restaurant die ausländische Küche, vor allem die italienische, chinesische und griechische.

Ein anderer Trend ist das gesunde Essen: 2006 wurden in Deutschland 4,6 Milliarden Euro mit **Öko-Lebensmitteln** umgesetzt. Überall in den Großstädten öffnen Bio-Supermärkte, die verbinden, was den Deutschen zunehmend wichtiger wird: Genuss und Verantwortung, Lifestyle und gutes Gewissen. Deutschlandweit gab es Ende 2006 gut 350 Bio-Supermärkte – 50 mehr als noch im Vorjahr.

## Weniger Bier, mehr Wasser

Bier aus Deutschland ist vom Europäischen Parlament als „traditionelles Lebensmittel" anerkannt, eine Auszeichnung, die nur sehr wenigen Nahrungsmitteln verliehen wird. Zu verdanken ist sie dem berühmten „Reinheitsgebot",

*Gesundes Trendgetränk:*
*Mineralwasser sprudelt aus 223*
*deutschen Brunnen*

das nur bestimmte – natürliche – Zutaten erlaubt. So sind Hopfen, Malz, Wasser und Hefe bis heute die Grundlagen aller deutschen Biersorten geblieben. Neben den Großbrauereien haben die kleineren regionalen Traditionsbrauereien einen Stammplatz im Herzen der Biertrinker. Zu ihnen zählen 80 Prozent der erwachsenen Bevölkerung in Deutschland. Sie haben die Auswahl zwischen 5000 verschiedenen

Marken, die von 1284 Brauereien produziert werden. Ein Weltrekord.

Dennoch geht der Bierkonsum der Deutschen beständig zurück, von 133 Litern im Jahr 1994 auf heute noch knapp 112 Liter pro Person. Dafür hat die Wellness-Bewegung unter anderem einen Mineralwasserboom gebracht: In den letzten 30 Jahren haben die Deutschen den Verbrauch von Mineralwassern verzehnfacht und trinken heute mit 132 Litern pro Kopf und Jahr in der Weltspitzengruppe mit. Aus 223 Brunnen sprudeln mehr als 500 verschiedene Mineralwässer.

## Das Riesling-Wunder

Seit Anfang des neuen Jahrtausends erlebt der deutsche Riesling-Wein eine Renaissance – und das international: Er gehört inzwischen weltweit zu den Standards in vielen Top-Restaurants. Allein die US-Amerikaner haben ihre Riesling-Importe in nur vier Jahren um hundert Prozent gesteigert. Die Begeisterung der internationalen Weinkenner für das „deutsche Weinwunder" hat sich der Riesling durch seine Leichtigkeit und Spritzigkeit verdient, Eigenschaften, die sich den besonderen Klima- und Bodenverhältnissen verdanken. Denn die deutschen Weinanbaugebiete gehören zu den nördlichsten der Welt. Die lange Vegetationszeit und die geringe Sommerhitze machen die **Weine aus Deutschland** filigran und nicht zu alkoholreich. Unterschiedliche Bodenarten und Rebsorten wie Müller-Thurgau und Silvaner tragen ihren Teil dazu bei, dass deutsche Weine als bemerkenswert facettenreich gelten.

Ihren Anteil am Erfolg hat aber auch die neue Generation der deutschen Winzer, die in den 13 **deutschen Weinanbaugebieten** vor allem auf hohe Qualität statt große Erträge setzen. Das klassische Weißweinland Deutschland entdeckt jetzt mehr und mehr den Rotwein. Die Anbaufläche dafür, hauptsächlich für Spätburgunder, hat sich bereits mehr als verdreifacht. Vielleicht entsteht hier das nächste Weinwunder?

**Weine aus Deutschland**
Deutsche Weine wachsen in 13 Anbaugebieten, in denen rund 65 000 Winzerbetriebe eine große Vielfalt regionaltypischer Weine anbauen. Die deutschen Weinanbaugebiete liegen – außer Sachsen und Saale-Unstrut im Osten – konzentriert im Südwesten und Süden Deutschlands. Nahezu 140 Rebsorten werden angepflanzt, große Marktbedeutung haben aber nur zwei Dutzend, allen voran die Weißweine Riesling und Müller-Thurgau. Deutschland produziert zu 65 Prozent Weißwein und zu 35 Prozent Rotwein. Etwa ein Viertel der neun Millionen Hektoliter Gesamtjahresproduktion geht ins Ausland, vor allem in die USA, nach Großbritannien und in die Niederlande.

**Deutsche Weinanbaugebiete**
- Ahr
- Baden
- Franken
- Hessische Bergstraße
- Mittelrhein
- Mosel-Saar-Ruwer
- Nahe
- Pfalz
- Rheingau
- Rheinhessen
- Saale-Unstrut
- Sachsen
- Württemberg

**Deutsche Zentrale für Tourismus**
Die Deutsche Zentrale für Tourismus (DZT) ist das nationale
„Tourist Board" Deutschlands mit
Sitz in Frankfurt am Main. Mit
29 Vertriebsstellen, darunter elf
eigene Vertretungen und 18
Vertriebskooperationen, plant,
koordiniert und realisiert die
Tourismusorganisation ihre Mar-
keting- und Vertriebsaktivitäten
im Ausland.

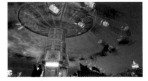

*Riesenrummel: Über sechs
Millionen Menschen aus aller
Welt besuchen jedes Jahr das
Oktoberfest in München*

# Reiseland Deutschland

Als Reiseland wird Deutschland immer beliebter: Mit fast 55
Millionen Übernachtungen ausländischer Gäste verzeichne-
te die **Deutsche Zentrale für Tourismus** 2007 ein bemerkenswer-
tes Plus von drei Prozent gegenüber dem Rekordjahr der
Fußball-Weltmeisterschaft 2006. Berlin, München, Frankfurt
am Main und Köln sind die beliebtesten Städte bei den internationalen Gästen. Die meisten kommen aus dem europäischen Ausland, aus den USA und Asien. Als Bundesländer
punkten bei den ausländischen Reisenden regelmäßig Bayern, Nordrhein-Westfalen und Baden-Württemberg.

Magnete für Deutschlandurlauber sind neben den
kulturhistorischen Sehenswürdigkeiten auch die anspruchsvollen Konzertreihen, Kunstausstellungen und Theaterauf-
führungen oder die großen Sportereignisse auf internationalem Niveau, die Straßenfeste oder stimmungsvollen Weih-
nachtsmärkte, um nur einige Höhepunkte zu nennen. In

## Urlaubstrend Wellness

Deutschland zum Wohlfühlen: Wellness und
Gesundheit stehen bei Touristen seit Jahren hoch
im Kurs. Die Deutsche Tourismusanalyse 2007
ergab, dass 69 Prozent der deutschen Urlauber
einen Erholungs- und Wellnessurlaub an die Spitze
ihrer Wunschliste setzen. Auch immer mehr ausländische Gäste entscheiden sich für einen ent-
spannten Urlaub in einem der 330 anerkannten
deutschen Kurorte und Heilbäder. Ob klassische

Massage oder chinesische Energie-Bewegungs-
therapie Qigong, zwischen Nord- und Ostseeküste
und den Alpen gibt es eine Vielzahl von Hotels, die
sich auf Entspannungsurlaub spezialisiert haben.
Besonders beliebt sind die traditionsreichen See-
bäder an der Ostseeküste: zum Beispiel Heiligendamm (Foto), das älteste und vielleicht feinste
deutsche Seebad mit einem Grandhotel, das 2007
zum besten Strandhotel Europas gewählt wurde.
Heiligendamm gilt außerdem als Gesamtkunst-
werk klassizistischer Architektur, als „weiße Stadt
am Meer". Der Süden punktet dafür mit Heilklima,
Thermalquellen und Heubädern: Baden-Baden in
Baden-Württemberg und das Allgäu sind beliebte
Wohlfühl-Ziele. Was nur wenige wissen: 32 Heilbäder und Thermalquellen machen das Bundesland Hessen im Herzen Deutschlands zum „Bäder-
land Nummer 1".

Deutschland wird gern und viel gefeiert. Und manche Volksfeste – wie etwa das Oktoberfest in München oder der Christopher Street Day in Köln, der Karneval der Kulturen in Berlin, die Fastnacht in Mainz oder der Karneval in Köln – sind längst international Synonym für gute Laune und eine weltläufige Atmosphäre geworden.

Während es die Gäste aus dem Ausland überwiegend in die Großstädte zieht, reisen die Deutschen im eigenen Land lieber in kleinere Gemeinden und ländliche Regionen: Bei ihnen gehören die Nord- und Ostseeküste, der Schwarzwald und der Bodensee zu den beliebtesten Ferienzielen. Immerhin verzeichnet Deutschland 14 **Nationalparks**, 95 Naturparks und 13 Biosphärenreservate. Aber auch als eine Art Open-Air-Fitness-Center gewinnen Küste, Seen, Mittel- und Hochgebirge an Bedeutung. Die Möglichkeiten sind riesig: Allein neun Fernwanderwege mit einer Länge von 9700 Kilometern führen durch Deutschland. Insgesamt streckt sich das Netz markierter Wanderwege über 190 000 Kilometer. Auf 50 000 Kilometern können Radfahrer über spezielle Fernwege das Land erkunden.

**Nationalparks**
Die 14 deutschen Nationalparks befinden sich zu einem großen Teil im Norden der Bundesrepublik. Alle zeichnen sich durch eine einmalige Natur und Landschaft aus und dienen der Bewahrung der natürlichen Artenvielfalt von seltenen Pflanzen und Tieren. Der größte von ihnen ist der Nationalpark Schleswig-Holsteinisches Wattenmeer mit 441 000 Hektar. Der kleinste, der Nationalpark Jasmund mit den berühmten Kreidefelsen der Insel Rügen, hat 3003 Hektar Fläche.

## Gut in Form – Mode und Design

Highfashion made in Germany ist ein Begriff auf den internationalen Laufstegen. Zu den „Global Players" gehören seit Jahrzehnten Escada und Wolfgang Joop, der mit seinem neuen glamourösen Label „Wunderkind Couture" Erfolge feiert. Die großen Galas und Bälle in Berlin, Frankfurt oder München wirken nicht selten wie eine Leistungsschau der deutschen Modemacher: Man trägt Escada, Unrath & Strano, Talbot Runhof und Anna von Griesheim – die zu den gefragten Designern nicht nur der deutschen Prominenz gehören. Im Alltag setzt man in Deutschland dagegen eher auf Bodenhaftung. Bevorzugt wird neben dem sachlichen Business-Outfit legere Sportswear, etwa von Boss oder Strenesse. Beide Labels sind in Süddeutschland zu Hause, aber längst auch auf dem Weltmarkt ein Begriff.

*Neues vom Stardesigner: Wolfgang Joop sorgt mit dem Label „Wunderkind" für Aufsehen*

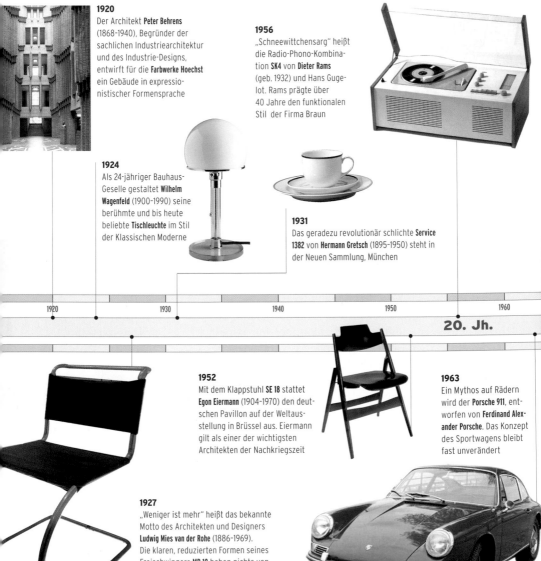

# Design und Architektur

Klarheit und Funktionalität gelten noch immer als
Grundprinzipien typisch deutscher Gestaltung und Baukunst.
Heute erweitern auch Charme und Finesse die „gute Form"

**1920**
Der Architekt **Peter Behrens**
(1868-1940), Begründer der
sachlichen Industriearchitektur
und des Industrie-Designs,
entwirft für die **Farbwerke Hoechst**
ein Gebäude in expressio-
nistischer Formensprache

**1956**
„Schneewittchensarg" heißt
die Radio-Phono-Kombina-
tion **SK4** von **Dieter Rams**
(geb. 1932) und Hans Guge-
lot. Rams prägte über
40 Jahre den funktionalen
Stil der Firma Braun

**1924**
Als 24-jähriger Bauhaus-
Geselle gestaltet **Wilhelm
Wagenfeld** (1900-1990) seine
berühmte und bis heute
beliebte **Tischleuchte** im Stil
der Klassischen Moderne

**1931**
Das geradezu revolutionär schlichte **Service
1382** von **Hermann Gretsch** (1895-1950) steht in
der Neuen Sammlung, München

1920    1930    1940    1950    1960

**20. Jh.**

**1952**
Mit dem Klappstuhl **SE 18** stattet
**Egon Eiermann** (1904-1970) den deutschen Pavillon auf der Weltaus-
stellung in Brüssel aus. Eiermann
gilt als einer der wichtigsten
Architekten der Nachkriegszeit

**1963**
Ein Mythos auf Rädern
wird der **Porsche 911**, ent-
worfen von **Ferdinand Alexander Porsche**. Das Konzept
des Sportwagens bleibt
fast unverändert

**1927**
„Weniger ist mehr" heißt das bekannte
Motto des Architekten und Designers
**Ludwig Mies van der Rohe** (1886-1969).
Die klaren, reduzierten Formen seines
Freischwingers **MR 10** haben nichts von
ihrer Modernität verloren

S-VE 912

**1972**
Eines der bekanntesten Objekte des gebürtigen Münchners **Richard Sapper** (geb. 1932) ist die Halogenleuchte **Tizio**. Er setzt bewusst auf eine wechselnde Formensprache zwischen verspielt und funktional

**2007**
Die **Berlin Fashion Week** mit Modenschauen unter dem Brandenburger Tor positioniert sich als neuer Termin im globalen Modekalender

**1984**
Markenzeichen und Leitmotiv vieler Gebäude von **O. M. Ungers** (geb. 1926) ist das Quadrat. Das **Torhaus** der Messe in Frankfurt am Main ist ein prägnantes Beispiel für seinen unverwechselbaren Stil jenseits aller Moden und Schulen

**2003**
Der Münchner **Konstantin Grcic** (geb. 1965) gehört zu den erfolgreichsten jungen Designern. **Chair one** ist ein typisches Beispiel seiner minimalistischen Gestaltung

| 1970 | 1980 | 1990 | 2000 | 2010 |

**21. Jh.**

**1971**
Kaum ein Produkt, an dem sich der Berliner **Luigi Colani** (geb. 1928) nicht versuchen würde. In dem Teeservice **Drop** setzt er die für ihn typischen organischen Formen um

**2005**
Seit 22 Jahren ist **Karl Lagerfeld** (geb. 1938) der kreative Kopf des Pariser Modehauses **Chanel**. Das Metropolitan Museum of Art in New York widmet seiner Arbeit eine große Ausstellung

**Achtziger/neunziger Jahre**
Streng und elegant ist der Stil der Modeschöpferin **Jil Sander** (geb. 1943) auf dem Höhepunkt ihres Erfolgs

**2000**
Das von dem Deutschamerikaner **Helmut Jahn** (geb. 1940) entworfene **Sony Center** am Potsdamer Platz erregt Aufsehen mit seiner ungewöhnlichen Zeltdachkonstruktion. Schnell wird es zu einem neuen Wahrzeichen Berlins

**Bauhaus**

Das Bauhaus (1919-1933) gilt als die berühmteste Kunst-, Design- und Architekturschule der Klassischen Moderne. Gegründet von Walter Gropius hatte es seinen Sitz in Weimar, später in Dessau. Die Bauhaus-Künstler und -Architekten schufen eine neue, klare und zeitgemäße Formensprache, die vielfach bis heute nachwirkt. Zu den bekanntesten Bauhaus-Vertretern gehören Ludwig Mies van der Rohe, Lyonel Feininger, Oskar Schlemmer, Marianne Brandt und Sophie Taeuber-Arp.

Besonders in den Großstädten findet sich aber auch ausreichend Gelegenheit für das modische Experiment. Hier gibt es eine ganze Reihe kreativer Modedesigner, die mit Witz und Einfallsreichtum den Modemetropolen London und Paris Konkurrenz machen. Die Berlin Fashion Week mit Shows etablierter und junger Designer ist das zentrale Modeereignis in der Hauptstadt. Insider kennen längst die neue deutsche Mode-Avantgarde, zu der Thatchers, Sabotage, Kostas Murkudis oder Eisdieler aus Berlin, aber auch Blutsgeschwister aus Stuttgart, Anja Gockel aus Mainz oder Susanne Bommer aus München gehören. Selbst London, Paris und die Modeszene-Stadt Antwerpen haben junge deutsche Kreateure wie Markus Lupfer, Bernhard Willhelm und Dirk Schönberger erobert. Der berühmteste deutsche Modemacher im Ausland aber ist der in Hamburg geborene Karl Lagerfeld, kreativer Kopf des französischen Couture-Hauses Chanel.

Deutsches Produktdesign hat das Image, klare und funktionale Produkte zu schaffen. Design made in Germany – von der Bulthaup-Küche bis zum Braun-Rasiergerät – genießt international höchstes Ansehen. Stilbildend sind nach wie vor Unternehmen wie die Möbelhersteller Wilkhahn und Vitra oder Lamy für Schreibgeräte und Erco für Leuchten. Die Traditionen des **Bauhauses** der zwanziger und der Ulmer Hochschule aus den fünfziger Jahren haben noch ihren Stellenwert, daneben hat sich aber längst eine neue Generation einen Namen gemacht: Zu ihr gehört Konstantin Grcic, Jahrgang 1965, einer der innovativsten jüngeren Designer. Der Münch-

 **Das Thema im Internet**

**www.cma.de**
Die Centrale Marketing-Gesellschaft der deutschen Agrarwirtschaft bietet Rezepte und ein Kochlexikon zum Download (Deutsch)

**www.deutscheweine.de**
Infos des Deutschen Weininstituts in Mainz zu Anbaugebieten, Winzern und Rebsorten (Deutsch, Englisch)

**www.deutschland-tourismus.de**
Die Deutsche Zentrale für Tourismus informiert umfassend über Reiseziele und Veranstaltungen in Deutschland (zahlreiche Sprachen)

**www.bahn.de**
Website der Deutschen Bahn mit Infos zu Fahrplänen, Tickets, Hotels (zahlreiche Sprachen)

**www.europarc-deutschland.de**
Hintergrundwissen und Links zu den Onlineauftritten aller 14 deutschen Nationalparks zwischen Nordsee und Alpen (Deutsch)

**www.german-design-council.de**
Der Rat für Formgebung ist das deutsche Kompetenzzentrum rund um das Thema Design (Deutsch, Englisch)

ner verleiht ganz banalen Alltagsgegenständen eine ungewohnte Poesie. Auch die Newcomer vom „Studio Vertijet" aus Halle, Steffen Kroll und Kirsten Hoppert, verbinden spielerische und analytische Elemente des Designs.

## Architektur mit Ausdruck

Die Architekturszene in Deutschland hat viele regionale Zentren, aber seit der Wiedervereinigung sicherlich auch einen Schwerpunkt in Berlin. In der Hauptstadt lässt sich auf engem Raum Weltarchitektur erleben: Ob Lord Norman Foster, der den ehemaligen Reichstag zum neuen deutschen Parlament umbaute, Renzo Piano, Daniel Libeskind, I. M. Pei oder Rem Koolhaas – die Liste der internationalen Architekten, die Berlins neues Gesicht prägen, ist lang. Auch die Elite der deutschen Baumeister wie Helmut Jahn, von Gerkan Marg und Partner, Hans Kollhoff und Josef Paul Kleihues trug ihren Teil zur neuen Hauptstadt bei. In Hamburg und Düsseldorf wird in den alten Häfen mit einer neuen Formensprache experimentiert und in vielen Städten setzen markante Museumsneubauten Zeichen – wie in München die Pinakothek der Moderne von Stephan Braunfels, in Herford das Museum MARTa von Frank O. Gehry, die Langen Foundation von Tadao Ando bei Neuss oder das Museum der bildenden Künste von den Berliner Architekten Hufnagel Pütz Rafaelian in Leipzig. ●

**Constanze Kleis**
Die Autorin mehrerer Lifestyle-Bücher arbeitet als freie Publizistin für verschiedene deutsche Magazine und Zeitungen.

# Bildnachweise

**S.6:** Boening/Zenit/laif
**S.8:** Boening/Zenit/laif (2), akg-images
**S.9:** Volz/laif, Schapowalow, Karl-Heinz Raach/laif
**S.10:** picture-alliance/dpa (2), Hensler/laif
**S.11:** Fechner/laif, Zanettini/laif, Wegner/laif
**S.12:** Elleringmann/laif, RAPHO/laif, Hughes/laif
**S.13:** Knop/laif, picture-alliance/ZB
**S.14, S.16:** Westrich/laif
**S.17:** Stuttgart Marketing GmbH,
TANNER WERBUNG Touristik Kommunikation
**S.18:** Zielske H.D./laif, Thorsten Krüger
**S.19:** Archiv der BIS Bremerhaven Touristik,
Zielske H.D./laif, Boening/Zenit/laif
**S.20:** Zielske H.D./laif (2)
**S.21:** Zielske H.D./laif, Eisermann/laif
**S.24:** Ralf Kreuels/laif, DWT/Dittrich,
picture-alliance/dpa
**S.25:** Celentano/laif
**S.26, S.28, S.29:** Bundesbildstelle
**S.30:** ullstein - Archiv Gerstenberg
**S.31:** akg-images, picture-alliance/dpa
**S.32, S.33, S34, S.35:** akg-images
**S.36:** Thorsten Krüger, picture-alliance/akg-images/Erich Lessing, Gutenbergmuseum,
picture-alliance/dpa
**S.37:** picture-alliance/akg-images/Erich Lessing (2),
akg-images (5)
**S.38:** Ian Haskell, picture-alliance/obs,
picture-alliance/dpa, akg-images (3),
ullstein - Archiv Gerstenberg
**S.39:** picture-alliance/dpa (2), photothek,
picture-alliance/ZB, akg-images, CARO/Kaiser
**S.40, S.41:** picture-alliance/dpa
**S.42:** Adenis/GAFF/laif
**S.43, S.44, S.45:** akg-images
**S.46, S.47:** Bundesbildstelle
**S.48:** Stauhach/artur
**S.49:** picture-alliance/ZB
**S.50, S.52:** Boening/Zenit/laif
**S.53:** picture-alliance/akg-images
**S.54:** Ralf Hillebrand
**S.56, S.57:** picture-alliance/dpa/dpaweb
**S.58:** picture-alliance/dpa, Ralf Hillebrand
**S.59:** picture-alliance/dpa,
**S.60:** Teamwork
**S.62:** picture-alliance/dpa
**S.63:** Langrock/Zenit/laif
**S.64:** Boening/Zenit/laif
**S.65:** CARO/Ruffer
**S.66:** Bundesrat
**S.67:** KEYSTONE, picture-alliance/dpa
**S.68:** picture-alliance/dpa

**S.70, S.72:** Pierre Adenis/GAFF/laif
**S.73:** picture-alliance/dpa
**S.74:** picture-alliance/dpa
**S.75:** picture-alliance/dpa,
picture-alliance/dpa/dpaweb
**S.76, S.78:** picture-alliance/dpa/dpaweb
**S.79:** picture-alliance/ZB (2)
**S.82:** picture-alliance/dpa (4), picture-alliance/Godong, picture-alliance/akg-images
**S.83:** picture-alliance/akg-images (2),
picture-alliance/dpa (1),
picture-alliance/dpa/dpaweb (1)
**S.86:** picture-alliance/dpa/dpaweb
**S.88, S.90:** Volkswagen
**S.91:** Enercon
**S.94:** picture-alliance/dpa, H.-B.Huber/laif
**S.95:** Daimler AG, Herzan/laif, Kruell/laif
**S.96:** AMD
**S.97:** picture-alliance/dpa/dpaweb
**S.98:** picture-alliance/ZB
**S.99:** picture-alliance/ZB (2)
**S.100:** picture-alliance/Helga Lade GmbH,
picture-alliance/dpa/dpaweb
**S.101:** IAA, Fraport
**S.102:** Siemens
**S.103:** picture-alliance/dpa
**S.105:** BASF, PPS Digital
**S.106, S.108:** Bildagentur Waldhaeusl
**S.109:** Action Press/Jörg Eberl
**S.110:** Paul Langrock/Zenit/laif
**S.111:** Soda-Club GmbH
**S.113:** momentphoto.de/Oliver Killig
**S.115:** Georg Kumpfmüller
**S.116, S.118:** Lange/laif
**S.119:** picture-alliance/ZB
**S.120:** Universität Heidelberg
**S.122:** Matthias Kulka
**S.123:** picture-alliance/dpa
**S.124:** Bildagentur online, Osram, Mifa AG, Siemens
**S.125:** Miele, DG-Flugzeugbau, A. Vossberg/VISUM,
mtu-online, Aspirin, Daimler AG,
picture-alliance/akg-images
**S.126:** pratt-whitney, Fischer, Transrapid
**S.127:** IBM, www.airbus.com, Andreas Varnhorn,
Daimler AG, picture-alliance/Okapia KG/Ge,
Thyssen-Krupp, Rainer Weisflog
**S.128:** Held/F1-Online
**S.130:** picture-alliance/dpa (6),
picture-alliance/akg-images (2),
picture-alliance/akg-images/Bruni Meya,
**S.134, S.136:** Zuder/laif
**S.137:** picture-alliance/dpa

**S.138:** picture-alliance/dpa
**S.139:** REA/laif
**S.140:** Huber/laif
**S.142:** picture-alliance/OKAPIA KG
**S.143:** Societäts-Verlag/Jörn Roßberg
**S.144:** REA/laif
**S.145:** plainpicture/Klammt, A.
**S.146:** picture-alliance/dpa
**S.147:** Rodtmann/laif
**S.148:** picture-alliance/ZB
**S.149:** Gerster/laif
**S.151:** KEYSTONE
**S.152:** picture-alliance/dpa
**S.154, S.156:** picture-alliance/ZB
**S.157:** Baatz/laif
**S.158:** Anna Weise, Frank Zauritz/laif
**S.159:** picture-alliance/dpa
**S.160:** picture-alliance/ZB, picture-alliance/dpa (2),
picture-alliance/akg-images/Erich Lessing,
picture-alliance/akg-images, akg-images
**S.161:** picture-alliance/obs, RAPHO/laif,
picture-alliance/dpa, akg-images (2),
picture-alliance/dpa/dpaweb, Kolvenbach
**S.162:** Auswärtiges Amt
**S.163:** picture-alliance/dpa,
picture-alliance/dpa/dpaweb
**S.164:** picture-alliance/dpa, picture-alliance/ZB
**S.165:** picture-alliance/dpa
**S.166:** picture-alliance/dpa, Emi Music Ltd.
**S.167:** picture-alliance/dpa, Berlinale
**S.168:** Transit/Wolfgang Zeyen
**S.169:** Kristina Schäfer
**S.170:** picture-alliance/dpa/dpaweb
**S.171, S.173, S.175:** picture-alliance/dpa (2)
**S.171, S.173:** Sonny Munk Carlsen
**S.180:** Huber/laif,
picture-alliance/Helga Lade GmbH
**S.181:** picture-alliance/dpa/Stockfood
**S.182:** Kirchner/laif, Kempinski Heiligendamm
**S.173:** picture-alliance/KPA/
Gerken + Ernst, Dan Lecca
**S.184:** akg-images, G.F.Abele/TV-yesterday,
Tecnolumen GmbH+CoKG, Die Neue
Sammlung/Staatliches Museum für ange-
wandte Kunst/München (Foto: A. Laurenzo),
picture-alliance/dpa, Porsche
**S.185:** Artemide, ddp, akg-images, Rosenthal AG,
Boening/laif, Schirnhofer/Agentur Focus,
picture-alliance/dpa
**S.186:** Maecke/GAFF/laif
**S.187:** picture-alliance/dpa/dpaweb, Jörg Ladwig

Herzlichen Dank an die Mitarbeiterinnen und Mitarbeiter des
Statistischen Bundesamtes und des F.A.Z.-Archivs für ihre Unterstützung.

# Register

# Register

# Register